═abc═

LOCOSHED BOOK

Nos. 1–39999

● **BRITISH RAILWAYS**
STEAM (S.R. & W.R.), ●
ELECTRIC & INTERNAL
COMBUSTION LOCOS.

═══LONDON═══

Ian Allan Ltd

NOTES ON THE USE OF THIS BOOK

1. This booklet lists all British Railways locomotives numbered between 1 and 90774. This series of numbers covers all internal combustion and electric locomotives of British Railways, numbered between 10000 and 26510.

2. Against each number is shown the BR code number of its home shed, which can be identified from the key to BR shed codes printed on pages 3-6. Where no shed allocation is given the locomotive is on order and not yet built. Each locomotive bears at the foot of its smokebox door a small plate showing its shed code number. Locomotives allocated to sub-sheds (shown uncoded in the lists on pages 3-6) carry the code of the sub-depot's parent shed

3. For fuller information about a particular locomotive, the reader should consult the relevant number and class summary of the A.B.C. of British Railway Locomotives where all the locomotives are summarised, in numerical order, under the heading of their individual class. In each case details of dimensions and the history of the type are summarised and attention is drawn to peculiarities of individual engines within the class.

4. Throughout the lists in this booklet; named engines are indicated by an asterisk (*). Lists of names and their appropriate numbers are given in the A.B.C. of British Railways Locomotives.

5. The lists and allocations in this booklet have been checked to show engines in service and their allocation for the Southern and Western as at 30 April 1952; the London Midland as at 14 June 1952; Eastern, North Eastern, Scottish, BR Standard and War Department as at 19 July 1952.

BRITISH RAILWAYS LOCOMOTIVE SHEDS AND SHED CODES

LONDON MIDLAND REGION

1A	**Willesden**	9A	**Longsight**	19A	**Sheffield**		
1B	Camden	9B	Stockport	19B	Millhouses		
1C	Watford	9C	Macclesfield	19C	Canklow		
1D	Devons Road (Bow)	9D	Buxton	20A	**Leeds (Holbeck)**		
1E	Bletchley	9E	Trafford Park	20B	Stourton		
	Leighton Buzzard	9F	Heaton Mersey	20C	Royston		
	Newport Pagnell	9G	Northwich	20D	Normanton		
2A	**Rugby**	10A	**Springs Branch**	20E	Manningham		
	Market		**(Wigan)**		Ilkley		
	Harborough	10B	Preston		Ilkley (ex-L.N.E.)		
	Seaton	10C	Patricroft	20F	Skipton		
2B	Nuneaton	10D	Plodder Lane		Keighley		
2C	Warwick		(Bolton)	20G	Hellifield		
2D	Coventry	10E	Sutton Oak		Ingleton		
2E	Northampton	11A	**Carnforth**	21A	**Saltley**		
3A	**Bescot**	11B	Barrow	21B	Bournville		
3B	Bushbury		Coniston		Redditch		
3C	Walsall	11C	Oxenholme	21C	Bromsgrove		
3D	Aston	11D	Tebay	21D	Stratford-on-Avon		
3E	Monument Lane	11E	Lancaster	22A	**Bristol**		
5A	**Crewe North**	12A	**Carlisle (Upperby)**	22B	Gloucester		
	Whitchurch	12C	Penrith		Tewkesbury		
	Whitchurch	12D	Workington		Dursley		
	(ex-G.W.)	12E	Moor Row	24A	**Accrington**		
5B	Crewe South	14A	**Cricklewood**	24B	Rose Grove		
	Crewe	14B	Kentish Town	24C	Lostock Hall		
	(Gresty Lane)	14C	St. Albans	24D	Lower Darwen		
5C	Stafford	15A	**Wellingborough**	24E	Blackpool		
	Coalport	15B	Kettering		Blackpool North		
5D	Stoke	15C	Leicester	24F	Fleetwood		
5E	Alsager	15D	Bedford	25A	**Wakefield**		
5F	Uttoxeter	16A	**Nottingham**	25B	Huddersfield		
6A	**Chester**		Southwell	25C	Goole		
6B	Mold Junction		Lincoln (Midland)	25D	Mirfield		
6C	Birkenhead	16C	Kirkby	25E	Sowerby Bridge		
6D	Chester (Northgate)	16D	Mansfield	25F	Low Moor		
6E	Wrexham	17A	**Derby**	25G	Farnley Junction		
6F	Bidston	17B	Burton	26A	**Newton Heath**		
6G	Llandudno Junction		Overseal	26B	Agecroft		
6H	Bangor	17C	Coalville	26C	Bolton		
6J	Holyhead	17D	Rowsley	26D	Bury		
6K	Rhyl		Cromford	26E	Bacup		
	Denbigh		Middleton	26F	Lees		
8A	**Edge Hill**		Sheep Pasture	26G	Belle Vue		
8B	Warrington	18A	**Toton**	27A	**Bank Hall**		
8C	Speke Junction	18B	Westhouses	27B	Aintree		
8D	Widnes	18C	Hasland	27C	Southport		
	Widnes (C.L.C.)		Clay Cross	27D	Wigan (ex-L. & Y.)		
8E	Brunswick	18D	Staveley	27E	Walton		
	(Liverpool)		Sheepbridge		Southport (C.L.C.)		
	Warrington						
	(C.L.C.)						

EASTERN REGION

30A	**Stratford**	**31E**	Bury St. Edmunds	**35A**	**New England**	
	Brentwood		Sudbury (Suffolk)		Spalding	
	Chelmsford	**32A**	**Norwich**		Bourne	
	Epping		Cromer		Stamford	
	Spitalfields		Wells-on-Sea	**35B**	Grantham	
	Wood St.		Dereham	**35C**	Peterborough	
	(Walthamstow)		Swaffham			(Spital)
	Palace Gates		Wymondham	**36A**	**Doncaster**	
	Enfield Town	**32B**	**Ipswich**	**36B**	Mexborough	
	Ware		Laxfield	**36C**	Frodingham	
30B	**Hertford East**		Felixstowe Beach	**36D**	Barnsley	
	Buntingford		Aldeburgh	**36E**	Retford	
30C	**Bishops Stortford**		Framlingham		Newark	
30D	**Southend (Victoria)**		Stowmarket	**37A**	**Ardsley**	
	Southminster	**32C**	**Lowestoft**	**37B**	Copley Hill	
	Wickford	**32D**	**Yarmouth**	**37C**	Bradford	
30E	**Colchester**		(South Town)	**38A**	**Colwick**	
	Clacton	**32E**	Yarmouth (Vauxhall)		Derby (Friargate)	
	Walton-on-Naze	**32F**	Yarmouth Beach	**38B**	Annesley	
	Kelvedon	**32G**	Melton Constable	**38C**	Leicester (ex-G.C.)	
	Maldon		Norwich City		Leicester (ex-G.N.)	
	Braintree		Cromer Beach	**38D**	Staveley	
30F	**Parkeston**	**33A**	**Plaistow**	**38E**	Woodford Halse	
			Upminster	**39A**	**Gorton**	
31A	**Cambridge**	**33B**	Tilbury		Dinting	
	Ely	**33C**	Shoeburyness		Hayfield	
	Huntingdon East	**34A**	**Kings Cross**		Macclesfield	
	Saffron Walden	**34B**	Hornsey	**39B**	Sheffield (Darnall)	
	Thaxted	**34C**	Hatfield	**40A**	**Lincoln**	
31B	**March**	**34D**	Hitchin	**40B**	Immingham	
31C	**Kings Lynn**	**34E**	Neasden	**40C**	Louth	
	Wisbech		Aylesbury	**40D**	Tuxford	
	Hunstanton		Chesham	**40E**	Langwith Junction	
31D	**South Lynn**			**40F**	Boston	

NORTH EASTERN REGION

50A	**York**	**51F**	West Auckland	**52E**	Percy Main	
50B	**Leeds (Neville Hill)**		Wearhead	**52F**	North Blyth	
50C	Selby	**51G**	Haverton Hill		South Blyth	
50D	Starbeck	**51H**	Kirkby Stephen		Rothbury	
50E	Scarborough	**51J**	Northallerton	**53A**	**Hull (Dairycoates)**	
50F	Malton		Leyburn	**53B**	Hull	
	Pickering	**51K**	Saltburn		(Botanic Gardens)	
50G	Whitby	**52A**	**Gateshead**	**53C**	Hull (Springhead)	
51A	**Darlington**		Bowes Bridge		Alexandra Dock	
	Middleton-in-	**52B**	Heaton	**53D**	Bridlington	
	Teesdale	**52C**	Blaydon	**54A**	**Sunderland**	
51B	Newport		Hexham		Durham	
51C	West Hartlepool		Alston	**54B**	Tyne Dock	
51D	Middlesbrough		Reedsmouth		Pelton Level	
	Guisborough	**52D**	Tweedmouth	**54C**	Borough Gardens	
51E	Stockton		Alnmouth	**54D**	Consett	

SCOTTISH REGION

60A	**Inverness**	63A	**Perth South**
	Dingwall		Aberfeldy
	Kyle of Lochalsh		Blair Atholl
60B	Aviemore		Crieff
	Boat of Garten	63B	Stirling
60C	Helmsdale		Killin
	Dornoch		Stirling
	Tain		(Shore Road)
60D	Wick	63C	Forfar
	Thurso		Brechin
60E	Forres	63D	Fort William
61A	**Kittybrewster**		Mallaig
	Ballater	63E	Oban
	Fraserburgh		Ballachulish
	Peterhead	64A	**St. Margarets**
61B	Aberdeen (Ferryhill)		**(Edinburgh)**
61C	Keith		Dunbar
	Banff		Galashiels
	Elgin		Hardengreen
			Longniddry
62A	**Thornton**		North Berwick
	Anstruther		Peebles
	Burntisland		Seafield
	Ladybank	64B	Haymarket
62B	Dundee (Tay Bridge)	64C	Dalry Road
	Arbroath	64D	Carstairs
	Dundee West	64E	Polmont
	Montrose	64F	Bathgate
	St. Andrews	64G	Hawick
62C	Dunfermline		Kelso
	(Upper)		Riccarton
	Alloa	65A	**Eastfield**
	Inverkeithing		**(Glasgow)**
	Kelty	65B	St. Rollox

65C	Parkhead
65D	Dawsholm
	Dumbarton
65E	Kipps
65F	Grangemouth
65G	Yoker
65H	Helensburgh
	Arrochar
65I	Balloch
66A	**Polmadie**
	(Glasgow)
	Paisley
66B	Motherwell
	Morningside
66C	Hamilton
66D	Greenock
	(Ladyburn)
	Greenock
	(Princes Pier)
67A	**Corkerhill**
	(Glasgow)
67B	Hurlford
	Beith
	Muirkirk
67C	Ayr
67D	Ardrossan
68A	**Carlisle**
	(Kingmoor)
68B	Dumfries
	Kirkcudbright
68C	Stranraer
	Newton Stewart
68D	Beattock
68E	Carlisle Canal

SOUTHERN REGION

70A	**Nine Elms**	71F	Ryde (I.O.W.)
70B	Feltham	71G	Bath (S. & D.)
70C	Guildford		Radstock
	Bordon	71H	Templecombe
70D	Basingstoke	71I	Southampton
70E	Reading	71J	Highbridge
71A	**Eastleigh**		
	Winchester	72A	**Exmouth Junction**
	Winchester		Seaton
	(ex-G.W.)		Lyme Regis
	Lymington		Exmouth
	Andover Junction		Okehampton
71B	Bournemouth		Bude
	Swanage	72B	Salisbury
	Hamworthy	72C	Yeovil
	Junction	72D	Plymouth
	Branksome		Callington
71C	Dorchester	72E	Barnstaple Junction
71D	Fratton		Torrington
	Gosport		Ilfracombe
	Midhurst	72F	Wadebridge
71E	Newport (I.O.W.)	73A	**Stewarts Lane**

73B	Bricklayers Arms
73C	Hither Green
73D	Gillingham (Kent)
73E	Faversham
74A	**Ashford (Kent)**
	Canterbury West
74B	Ramsgate
74C	Dover
	Folkestone
74D	Tonbridge
74E	St. Leonards
75A	**Brighton**
	Newhaven
75B	Redhill
75C	Norwood Junction
75D	Horsham
75E	Three Bridges
75F	Tunbridge Wells
	West
75G	Eastbourne

81A	**Old Oak Common**	
81B	Slough	
	Aylesbury	
	Marlow	
	Watlington	
81C	Southall	
	Staines	
81D	Reading	
	Henley-on-Thames	
81E	Didcot	
	Newbury	
	Wallingford	
81F	Oxford	
	Abingdon	
	Fairford	
82A	**Bristol**	
	(Bath Road)	
	Bath	
	Wells	
	Weston-Super-	
	Yatton [Mare	
82B	St. Philip's Marsh	
82C	Swindon	
	Andover Junction	
	Chippenham	
82D	Westbury	
	Frome	
82E	Yeovil	
82F	Weymouth	
	Bridport	
83A	**Newton Abbot**	
	Ashburton	
	Kingsbridge	
83B	Taunton	
	Bridgwater	
	Minehead	
83C	Exeter	
	Tiverton Junction	
83D	Laira (Plymouth)	
	Princetown	
	Launceston	
83E	St. Blazey	
	Bodmin	
	Moorswater	
83F	Truro	
83G	Penzance	
	Helston	
	St. Ives	

84A	**Wolverhampton**	
	(Stafford Road)	
84B	Oxley	
84C	Banbury	
84D	Leamington Spa	
84E	Tyseley	
	Stratford-on-Avon	
84F	Stourbridge	
84G	Shrewsbury	
	Clee Hill	
	Craven Arms	
	Knighton	
	Builth Road	
84H	Wellington (Salop)	
84J	Croes Newydd	
	Bala	
	Trawsfynydd	
	Penmaenpool	
84K	Chester	
85A	**Worcester**	
	Evesham	
	Kingham	
85B	Gloucester	
	Cheltenham	
	Brimscombe	
	Cirencester	
	Lydney	
	Tetbury	
85C	Hereford	
	Leominster	
	Ross	
85D	Kidderminster	
86A	**Newport**	
	(Ebbw Junction)	
86B	Newport Pill	
86C	Cardiff (Canton)	
86D	Llantrisant	
86E	Severn Tunnel	
	Junction	
86F	Tondu	
86G	Pontypool Road	
	Branches Fork	
86H	Aberbeeg	
86J	Aberdare	
86K	Abergavenny	
	Tredegar	

87A	**Neath**	
	Glyn Neath	
	Neath (N. & B.)	
87B	Duffryn Yard	
87C	Danygraig	
87D	Swansea East Dock	
87E	Landore	
87F	Llanelly	
	Burry Port	
	Pantyfynnon	
87G	Carmarthen	
	Newcastle Emlyn	
87H	Neyland	
	Cardigan	
	Milford Haven	
	Pembroke Dock	
	Whitland	
87J	Goodwick	
87K	Swansea (Victoria)	
	Upper Bank	
	Gurnos	
	Llandovery	
88A	**Cardiff (Cathays)**	
	Radyr	
88B	Cardiff East Dock	
88C	Barry	
88D	Merthyr	
	Cae Harris	
	Dowlais Central	
	Rhymney	
88E	Abercynon	
88F	Treherbert	
	Ferndale	
89A	**Oswestry**	
	Llanfyllin	
	Llanidloes	
	Moat Lane	
	Welshpool	
	(W. & L.)	
89B	Brecon	
	Builth Wells	
89C	Machynlleth	
	Aberayron	
	Aberystwyth	
	Portmadoc	
	Pwllheli	

SHED ALLOCATIONS OF
BRITISH RAILWAYS LOCOMOTIVES
Nos. 1—39999

WESTERN AND SOUTHERN REGIONS, AND B.R. NON-STEAM LOCOMOTIVES

IN NUMERICAL ORDER

1*	87C	93	88B	347	88A	397	88E
5*	82C	94	88B	348	88A	398	88D
7	89C	95	88B	349	86C	399	88F
8	89C	96	88B	351	88E	431	86A
9	89C	111*	83D	352	88F	432	86A
28	85D	155	88B	356	88E	434	88A
29	85D	194	88F	357	86J	435	86A
35	88B	204	86J	359*	87C	436	86A
36	88B	205	86C	360	88A	666	86B
37	88B	207	88F	361	88C	667	86B
38	88B	208	86C	362	86J	681	88B
39	88B	209	86C	364	88A	682	88B
40	88B	210	88B	365	88F	683	88B
41	88B	211	88B	366	88F	684	88B
42	88A	215	88F	367	88A	822	89A
43	88A	216	88F	368	88F	823	89A
44	88A	217	88F	370	88D	844	89A
55	88B	218	88F	371	86C	849	89A
56	88A	236	88F	372	88C	855	89A
58	88A	279	88F	373	88C	864	89C
59	88B	282	86C	374	86J	873	89A
63	88B	284	86J	375	88C	887	89A
65	86J	285	88F	376	88A	892	89C
66	88A	290	88F	377	88A	893	89A
67	88B	303	88F	378	88F	894	89C
68	88B	304	88E	379	88D	895	89A
69	87B	305	88A	380	88E	896	89A
70	87B	306	88C	381	86C		
73	88A	307	88A	382	88C	1000*	83D
75	87A	308	87D	383	88A	1001*	87H
77	88D	309	87D	384	88A	1002*	82A
78	88D	312	88C	385	86G	1003*	84G
79	88D	316	88D	386	88E	1004*	84G
80	88D	322	88E	387	88C	1005*	82A
81	88D	335	86C	388	88C	1006*	83D
82	88D	337	88E	389	88C	1007*	82A
83	88D	343	88A	390	88A	1008*	81A
90	88B	344	88A	391	88A	1009*	87H
91	88B	345	88A	393	88D	1010*	83D
92	88B	346	88A	394	88C	1011*	82A

1012*	83D	1410	84J	1470	83A	1645	87A
1013*	84G	1411	34E	1471	86D	1646	87D
1014*	82A	1412	89A	1472	87G	1647	82C
1015*	83D	1413	85B	1473	84J	1648	82C
1016*	84A	1414	84F	1474	81C	1649	82B
1017*	84G	1415	82A	1500	81A	1903	87G
1018*	84G	1416	84J	1501	81C	1935	81F
1019*	84G	1417	6C	1502	81E	1991	87F
1020*	87H	1418	85A	1503	81A	1996	85B
1021*	83E	1419	83E	1504	81A		
1022*	84K	1420	88A	1505	81A		
1023*	83F	1421	86D	1506	86B	2001	85A
1024*	83D	1422	86G	1507	86B	2008	88C
1025*	84G	1423	87J	1508	86E	2010	87H
1026*	81A	1424	85B	1509	86A	2011	6C
1027*	87H	1425	88A	1600	88C	2012	87F
1028*	82A	1426	81C	1601	87H	2027	87F
1029*	84A	1427	83A	1602	87H	2031	82B
1101	87C	1428	89A	1603	89C	2034	85A
1102	87C	1429	83C	1604	89A	2035	86G
1103	87C	1430	82A	1605	81C	2038	83D
1104	87C	1431	87J	1606	87H	2040	85C
1105	87C	1432	89A	1607	87F	2042	6C
1106	87C	1433	82C	1608	83A	2043	85C
1140	87D	1434	84J	1609	87F	2053	82D
1141	87C	1435	83C	1610	88E	2060	82C
1142	87C	1436	82C	1611	87H	2061	84A
1143	87C	1437	81B	1612	85B	2067	6C
1144	87D	1438	84F	1613	87G	2068	89A
1145	87C	1439	83A	1614	87F	2069	87G
1150	87D	1440	83C	1615	88C	2070	82B
1151	87C	1441	85B	1616	85B	2072	82A
1152	87D	1442	81F	1617	81F	2079	87B
1153	87C	1443	81C	1618	87F	2081	87F
1205	86C	1444	81D	1619	84H	2082	6C
1334	81E	1445	85C	1620	88E	2085	6C
1335	81D	1446	82C	1621	84F	2088	83C
1336	81D	1447	81D	1622	87F	2090	86A
1338	83B	1448	81B	1623	85B	2092	6C
1361	83D	1449	83C	1624	89C	2097	83E
1362	83A	1450	81B	1625	85B	2099	6C
1363	83D	1451	83C	1626	83E	2100	85A
1364	83D	1452	87J	1627	85B	2101	85D
1365	83D	1453	82F	1628	87H	2106	6C
1366	82C	1454	82F	1629	88A	2107	84F
1367	82F	1455	85C	1630	85B	2108	6C
1368	82F	1456	85B	1631	85B	2111	87G
1369	82C	1457	84J	1632	85B	2112	81B
1370	82F	1458	84F	1633	87F	2115	85A
1371	82C	1459	89A	1634	87C	2121	85B
1400	82C	1460	85C	1635	89A	2122	86A
1401	84F	1461	88A	1636	89A	2123	88B
1402	85B	1462	81C	1637	87H	2127	83B
1403	82C	1463	82A	1638	87F	2129	6C
1404	85B	1464	85B	1639	85B	2134	6C
1405	83C	1465	89C	1640		2135	82B
1406	85B	1466	83A	1641	87D	2136	86B
1407	81D	1467	82F	1642	85B		
1408	85A	1468	83C	1643	87C		
1409	85B	1469	83C	1644	87F		

2138	85C	2238	84E	2297	84J	2816	84C
2144	85C	2239	86A	2298	89C	2817	86A
2146	87C	2240	81E	2299	81D	2818	82B
2147	88B	2241	85A	2323	89C	2819	86A
2156	6C	2242	85A	2327	89A	2820	86C
2160	85C	2243	81A	2340	82B	2821	81D
2162	87F	2244	89A	2343	89B	2822	84K
2165	87F	2245	81D	2350	85C	2823	84G
2166	87D	2246	84F	2351	89B	2824	87F
2167	87F	2247	85A	2354	89A	2825	81D
2168	87F	2248	85B	2401	89B	2826	86C
2176	87F	2249	85C	2408	89A	2827	81F
2182	83E	2250	82C	2409	89A	2828	86J
2183	83A	2251	82B	2411	87A	2829	86E
2185	84J	2252	81E	2414	86E	2830	84B
2186	84J	2253	82B	2426	82B	2831	86J
2194*	83B	2254	85B	2444	82D	2832	84B
2195	82C	2255	89A	2445	82B	2833	84B
2196*	87F	2256	84C	2449	89A	2834	86A
2197*	87F	2257	84E	2452	89B	2835	86C
2198	87F	2258	82B	2458	85A	2836	86J
2200	89C	2259	84J	2460	86E	2837	86C
2201	89C	2260	89C	2462	82B	2838	86E
2202	81F	2261	83B	2468	89B	2839	86E
2203	84E	2262	85A	2474	87G	2840	84J
2204	89C	2263	85A	2482	89A	2841	84G
2205	85A	2264	81D	2483	89A	2842	86A
2206	89C	2265	82B	2484	89A	2843	83D
2207	85A	2266	83B	2513	84K	2844	86E
2208	81D	2267	83B	2515	85C	2845	81D
2209	84J	2268	83B	2516	89A	2846	82B
2210	89A	2269	82B	2532	81E	2847	84C
2211	83B	2270	84F	2534	82D	2848	84E
2212	83B	2271	87G	2537	86C	2849	84E
2213	83B	2272	87G	2538	89A	2850	87F
2214	83B	2273	87E	2541	85C	2851	86A
2215	82B	2274	85A	2543	89A	2852	84F
2216	87G	2275	83B	2551	85A	2853	84J
2217	87G	2276	81A	2556	89A	2854	84B
2218	86A	2277	85A	2568	82C	2855	87F
2219	89C	2278	85A	2572	89A	2856	84F
2220	82B	2279	84F	2573	81D	2857	84C
2221	81E	2280	86A	2578	82B	2858	86A
2222	81E	2281	85C	2579	81F	2859	86E
2223	87J	2282	81A	2800	87B	2860	81F
2224	82C	2283	87H	2801	86G	2861	86A
2225	82B	2284	87G	2802	86G	2862	86G
2226	81E	2285	81C	2803	81F	2863	86B
2227	86A	2286	85C	2804	86E	2864	86G
2228	84G	2287	89B	2805	86B	2865	86A
2229	84G	2288	87H	2806	86C	2866	86A
2230	83C	2289	81E	2807	85A	2867	84E
2231	84G	2290	85A	2808	86J	2868	86C
2232	84F	2291	85B	2809	83A	2869	83A
2233	84G	2292	84E	2810	84K	2870	86J
2234	84G	2293	82B	2811	86E	2871	84J
2235	84G	2294	85A	2812	84K	2872	87F
2236	87G	2295	85B	2813	87B	2873	84F
2237	85A	2296	84E	2814	83B	2874	84F
				2815	81D	2875	83A

2876	86A	3043	84C	3610	86J	3670	86C
2877	86C	3044	86G	3611	87A	3671	82E
2878	84J	3047	81D	3612	86D	3672	88A
2879	86A	3048	85A	3613	84H	3673	84E
2880	81C	3100	86F	3614	84A	3674	86F
2881	83A	3101	84E	3615	84A	3675	83D
2882	86E	3102	84A	3616	86F	3676	82B
2883	86B	3103	86A	3617	86D	3677	83C
2884	86G	3104	84A	3618	81C	3678	87E
2885	84F	3150	86E	3619	84D	3679	87D
2886	84C	3153	85B	3620	81C	3680	86H
2887	86E	3157	86E	3621	87A	3681	88B
2888	86G	3160	84A	3622	81E	3682	82C
2889	86A	3161	86E	3623	82B	3683	86G
2890	84K	3163	85B	3624	84D	3684	82C
2891	86C	3164	85B	3625	84E	3685	81A
2892	86C	3167	86E	3626	6C	3686	83D
2893	86G	3170	86E	3627	86F	3687	87A
2894	86A	3171	85B	3628	86G	3688	81A
2895	86E	3172	86E	3629	83D	3689	84E
2896	86A	3174	86E	3630	84K	3690	86F
2897	84C	3176	86E	3631	84D	3691	86H
2898	84C	3177	86E	3632	82B	3692	86G
2899	81C	3180	84E	3633	87D	3693	84E
2906*	86C	3183	86E	3634	86A	3694	84C
2920*	85C	3185	86E	3635	83E	3695	86F
2933*	84D	3186	83D	3636	86A	3696	82D
2934*	82C	3187	83D	3637	87J	3697	81B
2937*	85C	3188	86E	3638	89B	3698	87F
2938*	85C	3190	86E	3639	83D	3699	86F
2945*	82C	3200	89C	3640	86G	3700	86A
2950*	82A	3201	89C	3641	87D	3701	87E
2951*	85B	3202	89C	3642	87F	3702	84G
2954*	82C	3203	84G	3643	82B	3703	86G
		3204	85B	3644	86D	3704	81C
3010	87G	3205	85B	3645	82C	3705	83E
3011	87G	3206	84J	3646	84K	3706	89B
3012	86G	3207	89C	3647	86A	3707	88B
3014	82B	3208	89A	3648	81A	3708	86G
3015	87A	3209	85C	3649	84F	3709	81E
3016	84E	3210	81E	3650	84E	3710	84F
3017	84C	3211	81E	3651	86G	3711	86H
3018	86G	3212	81E	3652	86F	3712	86A
3020	84C	3213	85B	3653	84E	3713	87E
3022	85A	3214	85A	3654	87H	3714	86A
3023	86G	3215	82B	3655	86J	3715	81A
3024	81E	3216	84C	3656	86D	3716	86H
3025	86G	3217	84G	3657	84E	3717	86G
3026	84C	3218	84C	3658	84F	3718	87B
3028	84F	3219	85A	3659	83A	3719	87F
3029	85A	3600	83A	3660	84E	3720	82B
3031	84B	3601	85D	3661	87F	3721	81E
3032	82B	3602	84G	3662	86A	3722	81F
3033	84J	3603	83C	3663	86B	3723	81D
3034	82B	3604	82B	3664	84A	3724	82C
3036	86G	3605	86J	3665	84K	3725	85A
3038	86G	3606	83C	3666	82C	3726	86A
3040	86G	3607	85A	3667	84F	3727	81C
3041	82B	3608	81F	3668	86F	3728	85C
3042	86G	3609	85B	3669	83B	3729	86C

3730	86G	3790	83D	3850	86E	4100	85D
3731	82B	3791	87B	3851	87F	4101	84E
3732	84H	3792	84B	3852	86E	4102	84C
3733	82E	3793	84B	3853	86E	4103	84A
3734	88A	3794	83C	3854	81F	4104	84F
3735	82D	3795	82B	3855	81C	4105	84A
3736	83B	3796	86A	3856	81C	4106	84E
3737	82C	3797	87E	3857	81C	4107	84E
3738	81D	3798	86A	3858	84K	4108	84A
3739	82C	3799	81C	3859	84K	4109	83A
3740	81B	3800	86A	3860	84B	4110	84E
3741	87A	3801	86A	3861	84C	4111	84E
3742	6C	3802	84B	3862	86G	4112	84D
3743	84F	3803	86C	3863	84B	4113	83B
3744	84B	3804	86A	3864	83A	4114	85A
3745	84B	3805	86A	3865	82C	4115	84A
3746	82C	3806	86E	3866	86E	4116	84E
3747	86J	3807	86A	4000*	84A	4117	83B
3748	82B	3808	86E	4021*	81F	4118	84G
3749	84H	3809	86C	4023	87E	4119	86E
3750	81C	3810	86A	4034*	82C	4120	6C
3751	84F	3811	87F	4037*	81A	4121	86G
3752	87F	3812	86C	4044*	84G	4122	6C
3753	86J	3813	86E	4048*	87E	4123	6C
3754	81A	3814	86C	4049*	84A	4124	6C
3755	86C	3815	86E	4052*	84G	4125	6C
3756	84A	3816	86A	4053*	84A	4126	6C
3757	87A	3817	86C	4056*	82A	4127	6C
3758	82D	3818	86E	4059*	85B	4128	6C
3759	82B	3819	84C	4060*	82A	4129	6C
3760	84H	3820	84C	4061*	84A	4130	86B
3761	87F	3821	84F	4062*	82C	4131	86G
3762	84K	3822	86G	4073*	82A	4132	87H
3763	82B	3823	86C	4074*	87E	4133	83A
3764	82B	3824	86C	4075*	82A	4134	87G
3765	82B	3825	84B	4076*	84K	4135	86G
3766	87A	3826	86G	4077*	83A	4136	83B
3767	89B	3827	84F	4078*	87E	4137	86A
3768	87E	3828	86G	4079*	85B	4138	86G
3769	84E	3829	84K	4080*	82D	4139	85A
3770	89B	3830	86A	4081*	87E	4140	85B
3771	87F	3831	84C	4082*	85A	4141	85B
3772	86F	3832	86E	4083*	84A	4142	86E
3773	82B	3833	86A	4084*	82A	4143	88D
3774	87A	3834	83A	4085*	81D	4144	86E
3775	85A	3835	81F	4086*	85A	4145	86A
3776	86D	3836	86A	4087*	83D	4146	84F
3777	87F	3837	84E	4088*	83D	4147	84E
3778	84A	3838	86E	4089*	83A	4148	86A
3779	86G	3839	85A	4090*	83G	4149	84C
3780	82C	3840	81D	4091*	82A	4150	84F
3781	87C	3841	81D	4092*	84A	4151	86E
3782	84G	3842	86C	4093*	85A	4152	88D
3783	88B	3843	86E	4094*	86C	4153	85D
3784	82B	3844	86E	4095*	87E	4154	84H
3785	87E	3845	81D	4096*	82A	4155	85A
3786	84K	3846	81D	4097*	81A	4156	86A
3787	83D	3847	81F	4098*	83A	4157	84E
3788	84G	3848	85A	4099*	83A	4158	86G
3789	85C	3849	86E			4159	84E

4160	88C	4254	87F	4500	83G	4568	83E
4161	88C	4255	86C	4501	89C	4569	83E
4162	88F	4256	87B	4504	83F	4570	83E
4163	88C	4257	86J	4505	83E	4571	89C
4164	87B	4258	86B	4506	87H	4572	82D
4165	84E	4259	87A	4507	82F	4573	82D
4166	84E	4260	86F	4508	83E	4574	83G
4167	83F	4261	86D	4510	82D	4575	89C
4168	86A	4262	82B	4511	81F	4576	87H
4169	87A	4263	86B	4512	89C	4577	82A
4170	84E	4264	86J	4514	86H	4578	85D
4171	84D	4265	87B	4515	87H	4579	87H
4172	84E	4266	86J	4516	83E	4580	82A
4173	84F	4267	88C	4517	83E	4581	83B
4174	85B	4268	86C	4518	83D	4582	83A
4175	85D	4269	86B	4519	87H	4583	83D
4176	83C	4270	86C	4520	82F	4584	83E
4177	88C	4271	86H	4521	82A	4585	83E
4178	87G	4272	86J	4522	86H	4586	85B
4179	83A	4273	86F	4523	83F	4587	83A
4200	86E	4274	87A	4524	83D	4588	83F
4201	86B	4275	86E	4525	83G	4589	83F
4203	86A	4276	86F	4526	83E	4590	83D
4206	86A	4277	86E	4527	82F	4591	83D
4207	87E	4278	87F	4530	83D	4592	82A
4208	86D	4279	87A	4532	83A	4593	86H
4211	86B	4280	86B	4533	86G	4594	85A
4212	87B	4281	87F	4534	85B	4595	82A
4213	87F	4282	86E	4535	82A	4596	85D
4214	86H	4283	87F	4536	82D	4597	86G
4215	86F	4284	87A	4537	83G	4598	83E
4217	86H	4285	86C	4538	82C	4599	85A
4218	86F	4286	86E	4539	81D	4600	85C
4221	87A	4287	86H	4540	83C	4601	88C
4222	86H	4288	87A	4541	86G	4602	84G
4223	86C	4289	86A	4542	83D	4603	82A
4224	86C	4290	86J	4544	82A	4604	83B
4225	86A	4291	86B	4545	83G	4605	84H
4226	86B	4292	87B	4546	85A	4606	81D
4227	86H	4293	87A	4547	83A	4607	82B
4228	86J	4294	86A	4548	83G	4608	81C
4229	86B	4295	87A	4549	89C	4609	81D
4230	86A	4296	87B	4550	82C	4610	81C
4231	86C	4297	86J	4551	82D	4611	86A
4232	87A	4298	83E	4552	83E	4612	82C
4233	86B	4299	87C	4553	87H	4613	85A
4235	86B	4303	86C	4554	83F	4614	85A
4236	86F	4318	86C	4555	89C	4615	81A
4237	86B	4326	81E	4556	87H	4616	88D
4238	86H	4358	87H	4557	86F	4617	84J
4241	86F	4375	84F	4558	81F	4618	88A
4242	86A	4377	82D	4559	83E	4619	82B
4243	86E	4381	82C	4560	89C	4620	86D
4246	86B	4401	83C	4561	83F	4621	87A
4247	86A	4403	83D	4562	82F	4622	86C
4248	86A	4405	83A	4563	82A	4623	84G
4250	87E	4406	86F	4564	85B	4624	82B
4251	86F	4407	83D	4565	83E	4625	85A
4252	87A	4408	86F	4566	83G	4626	82B
4253	86B	4410	83C	4567	85A	4627	85B

4628	85B	4688	82B	4940*	83G	5000*	82A
4629	85A	4689	82E	4941*	81A	5001*	86C
4630	88D	4690	88D	4942*	82A	5002*	87E
4631	84C	4691	81B	4943*	84B	5003*	83C
4632	88D	4692	88C	4944*	81C	5004*	81A
4633	86C	4693	83D	4945*	82C	5005*	86C
4634	86F	4694	87C	4946*	83G	5006*	86C
4635	88D	4695	81C	4947*	83G	5007*	86C
4636	82D	4696	84F	4948*	81D	5008*	84A
4637	86D	4697	82C	4949*	83B	5009*	82C
4638	81B	4698	81A	4950*	84B	5010*	84A
4639	86G	4699	81A	4951*	82A	5011*	83A
4640	87B	4700	81A	4952*	86E	5012*	83D
4641	85C	4701	81A	4953*	86C	5013*	87E
4642	86G	4702	81A	4954*	83C	5014*	81A
4643	86F	4703	83D	4955*	84B	5015*	84A
4644	81A	4704	81A	4956*	81C	5016*	87E
4645	84J	4705	81A	4957*	87H	5017*	85B
4646	84F	4706	82B	4958*	82C	5018*	85B
4647	82D	4707	81A	4959*	84E	5019*	82A
4648	84E	4708	84B	4960*	84C	5020*	86C
4649	81E	4900*	84C	4961*	82A	5021*	83D
4650	81B	4901*	86C	4962*	81D	5022*	84A
4651	82C	4902*	81F	4963*	86C	5023*	83D
4652	86H	4903*	81F	4964*	84E	5024*	83A
4653	83D	4904*	84G	4965*	83G	5025*	82A
4654	87H	4905*	84K	4966*	83D	5026*	81F
4655	82B	4906*	83F	4967*	82B	5027*	84A
4656	83D	4907*	82F	4968*	86C	5028*	83A
4657	85C	4908*	81A	4969*	82C	5029*	81A
4658	83D	4909*	82C	4970*	83B	5030*	86C
4659	85B	4910*	87G	4971*	83B	5031*	84A
4660	82A	4912*	82C	4972*	83D	5032*	84A
4661	81D	4913*	86C	4973*	82C	5033*	84K
4662	86F	4914*	82A	4974*	86C	5034*	81D
4663	83B	4915*	87G	4975*	86C	5035*	81A
4664	85A	4916*	82C	4976*	84K	5036*	81D
4665	81D	4917*	82B	4977*	84C	5037*	82A
4666	87C	4918*	84C	4978*	87E	5038*	81A
4667	88A	4919*	84B	4979*	86C	5039*	81A
4668	86G	4920*	81D	4980*	84C	5040*	81A
4669	86F	4921*	81F	4981*	87G	5041*	83A
4670	81D	4922*	87G	4982*	87H	5042*	85B
4671	86A	4923*	81A	4983*	82B	5043*	81A
4672	84G	4924*	84E	4984*	87G	5044*	81A
4673	81C	4925*	82C	4985*	82D	5045*	84A
4674	86D	4926*	82D	4986*	82B	5046*	86C
4675	86F	4927*	82D	4987*	84D	5047*	83A
4676	81F	4928*	81F	4988*	82F	5048*	82A
4677	86C	4929*	85B	4989*	81D	5049*	86C
4678	85C	4930*	82A	4990*	86E	5050*	84G
4679	83D	4931*	81C	4991*	84B	5051*	87E
4680	81F	4932*	83C	4992*	83D	5052*	86C
4681	87B	4933*	82D	4993*	85A	5053*	84A
4682	86H	4934*	82B	4994*	81D	5054*	86C
4683	84J	4935*	81E	4995*	81D	5055*	81A
4684	87B	4936*	83F	4996*	85B	5056*	81A
4685	86H	4937*	87G	4997*	87H	5057*	83D
4686	86H	4938*	81F	4998*	81E	5058*	83D
4687	84F	4939*	81C	4999*	83G	5059*	83C

5060*	81A	5150	83A	5210	87D	5310	87H
5061*	84K	5151	84A	5211	87D	5311	82A
5062*	83B	5152	84E	5212	86A	5312	85B
5063*	85A	5153	83A	5213	87F	5313	84F
5064*	82A	5154	84G	5214	86E	5314	82F
5065*	81A	5155	84F	5215	87F	5315	84J
5066*	81A	5156	84E	5216	87B	5316	6C
5067*	84G	5157	83A	5217	86A	5317	84C
5068*	82C	5158	83A	5218	86A	5318	86A
5069*	81A	5159	88F	5219	87E	5319	84J
5070*	84A	5160	86A	5220	87B	5321	83C
5071*	83A	5161	84D	5221	87D	5322	82C
5072*	87E	5162	87E	5222	86A	5323	81F
5073*	84G	5163	84D	5223	87F	5324	84C
5074*	82A	5164	84E	5224	86A	5325	82B
5075*	84K	5165	84F	5225	87A	5326	82D
5076*	82A	5166	84E	5226	86C	5327	82C
5077*	86C	5167	84F	5227	87D	5328	82F
5078*	83A	5168	84G	5228	86E	5330	81E
5079*	83A	5169	86E	5229	86A	5331	84K
5080*	86C	5170	84F	5230	87F	5332	84C
5081*	81A	5171	84E	5231	86B	5333	84E
5082*	82A	5172	83B	5232	87D	5334	84J
5083*	82C	5173	85A	5233	86A	5335	87F
5084*	82C	5174	84K	5234	86A	5336	85B
5085*	81A	5175	84E	5235	86B	5337	82F
5086*	85A	5176	6C	5236	86F	5338	82F
5087*	81A	5177	84E	5237	86J	5339	87G
5088*	84A	5178	84H	5238	86A	5341	84B
5089*	86C	5179	84K	5239	87A	5344	84K
5090*	83D	5180	84F	5240	87F	5345	85B
5091*	82C	5181	84K	5241	86D	5347	85B
5092*	85A	5182	84E	5242	87A	5350	82B
5093*	87E	5183	88F	5243	86A	5351	82B
5094*	82A	5184	84K	5244	86B	5353	87H
5095*	81A	5185	84D	5245	86J	5355	86G
5096*	82A	5186	84K	5246	87D	5356	87E
5097*	84G	5187	84E	5247	87F	5357	87H
5098*	83D	5188	84E	5248	87F	5358	82B
5099*	86C	5189	84F	5249	86C	5360	87G
5101	84F	5190	84E	5250	86B	5361	84C
5102	84E	5191	84F	5251	86A	5362	86E
5103	84K	5192	84D	5252	86B	5367	82C
5104	84D	5193	84F	5253	86E	5368	87H
5105	84F	5194	84D	5254	87B	5369	84E
5106	84E	5195	88C	5255	86A	5370	84E
5107	84F	5196	84F	5256	86A	5371	84F
5108	83A	5197	84F	5257	87B	5372	87H
5109	84H	5198	84E	5258	86J	5375	81D
5110	85D	5199	84F	5259	86A	5376	83F
5112	85B	5200	86B	5260	86B	5377	85C
5113	83A	5201	86E	5261	87F	5378	87F
5125	84H	5202	86H	5262	86E	5379	84F
5138	84H	5203	87F	5263	86J	5380	81E
5139	84H	5204	87F	5264	86A	5381	81E
5140	83A	5205	86E	5300	84B	5382	86C
5141	84C	5206	86A	5305	82F	5384	82F
5147	84F	5207	86H	5306	82D	5385	82D
5148	83D	5208	86A	5307	84B	5386	84B
		5209	87F	5309	84F	5388	86C

5390	81D	5525	83C	5610	88F	5670	88A
5391	86E	5526	83F	5611	88F	5671	88D
5392	87H	5527	82A	5612	87K	5672	88D
5393	6C	5528	82A	5613	88F	5673	84G
5394	85B	5529	82E	5614	88F	5674	88D
5395	89C	5530	85B	5615	88F	5675	87F
5396	82C	5531	83D	5616	87D	5676	88F
5397	81E	5532	86G	5617	88D	5677	88D
5398	85B	5533	83B	5618	88E	5678	88A
5399	84K	5534	82C	5619	88C	5679	86C
5400	87G	5535	82A	5620	86G	5680	88E
5401	81C	5536	82C	5621	88C	5681	88A
5402	82D	5537	83F	5622	88D	5682	88E
5403	82D	5538	85B	5623	88E	5683	88A
5404	84C	5539	82A	5624	84B	5684	84B
5405	81C	5540	82C	5625	86E	5685	86C
5406	82D	5541	89C	5626	86E	5686	88E
5407	84C	5542	83B	5627	88C	5687	88A
5408	85B	5543	83B	5628	87D	5688	88F
5409	81B	5544	83A	5629	87B	5689	82D
5410	81C	5545	86G	5630	88A	5690	84K
5411	83B	5546	82A	5631	87E	5691	88F
5412	83B	5547	82A	5632	88C	5692	88A
5413	81F	5548	82A	5633	86C	5693	88F
5414	81C	5549	87H	5634	84G	5694	88D
5415	81C	5550	86A	5635	88D	5695	88F
5416	81C	5551	83A	5636	88A	5696	88D
5417	85B	5552	83A	5637	88E	5697	88A
5418	81C	5553	82A	5638	86G	5698	88D
5419	82D	5554	82D	5639	87F	5699	88E
5420	81C	5555	82A	5640	88D	5700	89A
5421	88E	5556	86F	5641	88E	5701	87F
5422	82D	5557	83A	5642	84G	5702	87F
5423	82D	5558	83B	5643	88E	5703	87C
5424	84C	5559	82A	5644	88E	5704	87D
5500	83F	5560	89C	5645	86E	5705	87F
5501	83B	5561	82A	5646	87H	5706	86B
5502	83E	5562	83F	5647	84K	5707	86F
5503	83B	5563	82C	5648	88C	5708	86D
5504	83B	5564	82C	5649	86J	5709	86A
5505	83A	5565	82E	5650	88E	5710	88B
5506	82A	5566	82C	5651	84F	5711	88D
5507	89C	5567	83D	5652	88D	5712	84E
5508	82D	5568	87H	5653	88A	5713	87B
5509	82C	5569	83D	5654	88A	5714	86B
5510	82C	5570	89C	5655	88D	5715	81B
5511	82A	5571	83B	5656	87E	5716	87J
5512	82A	5572	82A	5657	84B	5717	81A
5513	87H	5573	85A	5658	84F	5718	82D
5514	82A	5574	85B	5659	88A	5719	84F
5515	83F	5600	88F	5660	88D	5720	87A
5516	86G	5601	88A	5661	88D	5721	88D
5517	85D	5602	86G	5662	88D	5722	87F
5518	85D	5603	88D	5663	88F	5723	84K
5519	83E	5604	87E	5664	88C	5724	84K
5520	86H	5605	88D	5665	88C	5725	84K
5521	83E	5606	84F	5666	88D	5726	84F
5522	83B	5607	88F	5667	88C	5727	81C
5523	82A	5608	88F	5668	88F	5728	86G
5524	89C	5609	88C	5669	88A	5729	86E

5730	87C	5790	84E	5930*	84C	5990*	85B
5731	87B	5791	84K	5931*	81A	5991*	84B
5732	86A	5792	86G	5932*	81A	5992*	82B
5733	86H	5793	88D	5933*	81D	5993*	84B
5734	87B	5794	84F	5934*	82C	5994*	84K
5735	81E	5795	84F	5935*	81E	5995*	84A
5736	84E	5796	86J	5936*	81A	5996*	81A
5737	81D	5797	86F	5937*	81A	5997*	83D
5738	84E	5798	83B	5938*	81A	5998*	83D
5739	84A	5799	81C	5939*	81A	5999*	83B
5740	86B	5800	82C	5940*	81A		
5741	86A	5801	89B	5941*	81A	6000*	82A
5742	84J	5802	82C	5942*	84B	6001*	81A
5743	87D	5803	89A	5943*	85A	6002*	81A
5744	81E	5804	82C	5944*	84B	6003*	81A
5745	84E	5805	82C	5945*	84B	6004*	84A
5746	87A	5806	89A	5946*	86C	6005*	84A
5747	86B	5807	85C	5947*	81A	6006*	84A
5748	84B	5808	85C	5948*	86G	6007*	81A
5749	86C	5809	82A	5949*	82B	6008*	84A
5750	86H	5810	84J	5950*	84E	6009*	81A
5751	88C	5811	84J	5951*	85A	6010*	83D
5752	81E	5812	89A	5952*	81C	6011*	84A
5753	81C	5813	82A	5953*	86C	6012*	83D
5754	84F	5814	85C	5954*	84C	6013*	81A
5755	81C	5815	85A	5955*	87E	6014*	81A
5756	86F	5816	85A	5956*	81D	6015*	81A
5757	82D	5817	85C	5957*	81D	6016*	83D
5758	84H	5818	86G	5958*	86C	6017*	83D
5759	87E	5819	87G	5959*	81D	6018*	81A
5760	83C	5900*	82D	5960*	81F	6019*	81A
5761	87K	5901*	81D	5961*	82D	6020*	84A
5762	81D	5902*	83C	5962*	81A	6021*	81A
5763	81D	5903*	81E	5963*	87G	6022*	83D
5764	81A	5904*	82A	5964*	83D	6023*	83D
5765	85C	5905*	87J	5965*	81F	6024*	83D
5766	81D	5906*	81A	5966*	84D	6025*	83D
5767	82E	5907*	84E	5967*	84C	6026*	83D
5768	86G	5908*	87J	5968*	84K	6027*	83D
5769	88D	5909*	84E	5969*	83G	6028*	81A
5770	86J	5910*	86C	5970*	86C	6029*	83D
5771	82D	5911*	86C	5971*	85A	6100	81D
5772	81D	5912*	84J	5972*	84E	6101	81D
5773	87K	5913*	87E	5973*	81D	6102	82A
5774	84J	5914*	85A	5974*	82D	6103	81D
5775	87C	5915*	83G	5975*	82D	6104	81F
5776	86C	5916*	84E	5976*	83C	6105	81D
5777	86H	5917*	85A	5977*	86C	6106	81B
5778	87A	5918*	81C	5978*	82F	6107	82A
5779	83B	5919*	82B	5979*	81D	6108	81B
5780	84A	5920*	83A	5980*	85B	6109	82A
5781	82D	5921*	86B	5981*	84G	6110	81C
5782	87F	5922*	82C	5982*	82B	6111	81F
5783	81B	5923*	86E	5983*	81C	6112	81F
5784	82B	5924*	82B	5984*	87G	6113	81B
5785	82D	5925*	86C	5985*	82D	6114	82A
5786	86C	5926*	83D	5986*	81A	6115	81B
5787	86J	5927*	84E	5987*	81A	6116	81E
5788	86D	5928*	87J	5988*	85A	6117	81D
5789	86H	5929*	87E	5989*	81C	6118	81E

6119	81B	6309	85B	6370	86C	6430	86G
6120	81A	6310	87G	6371	89C	6431	87E
6121	81A	6311	84J	6372	83B	6432	86G
6122	81F	6312	81D	6373	83D	6433	88A
6123	81B	6313	81F	6374	82A	6434	88D
6124	81B	6314	82D	6375	82F	6435	88A
6125	81C	6316	84J	6376	6C	6436	88A
6126	81C	6317	83B	6377	83B	6437	86J
6127	81B	6318	83G	6378	85A	6438	88E
6128	81C	6319	83D	6379	81D	6439	86A
6129	81D	6320	82C	6380	84K	6600	86C
6130	81D	6321	84A	6381	85B	6601	82B
6131	81B	6322	82A	6382	85D	6602	86C
6132	81B	6323	83B	6383	81D	6603	88A
6133	81B	6324	85A	6384	82C	6604	87E
6134	81E	6325	87E	6385	85B	6605	86J
6135	81A	6326	85C	6386	86A	6606	84G
6136	81B	6327	84F	6387	82C	6607	88A
6137	81A	6328	83B	6388	81C	6608	88A
6138	81F	6329	81E	6389	87H	6609	84F
6139	81C	6330	83A	6390	84C	6610	84B
6140	81B	6331	87G	6391	84F	6611	84J
6141	81A	6332	84F	6392	84K	6612	88A
6142	81A	6333	86C	6393	81D	6613	87D
6143	81B	6334	85A	6394	83B	6614	88C
6144	81A	6335	84B	6395	85C	6615	88C
6145	81D	6336	84E	6396	85A	6616	87B
6146	81B	6337	84K	6397	83C	6617	84J
6147	81C	6338	81D	6398	83B	6618	88A
6148	81C	6339	84K	6399	82D	6619	88C
6149	81A	6340	81E	6400	86G	6620	88C
6150	81B	6341	85B	6401	88E	6621	86C
6151	81B	6342	84C	6402	88A	6622	86J
6152	81B	6343	83B	6403	86G	6623	87B
6153	81B	6344	87G	6404	84J	6624	84G
6154	81B	6345	82B	6405	84J	6625	84C
6155	81A	6346	6C	6406	83D	6626	88A
6156	81C	6347	87H	6407	83D	6627	88D
6157	81B	6348	84G	6408	88D	6628	86J
6158	81A	6349	85C	6409	86B	6629	87B
6159	81B	6350	6C	6410	86J	6630	84E
6160	81B	6351	82A	6411	88E	6631	85B
6161	81D	6352	85C	6412	87E	6632	84J
6162	81D	6353	86C	6413	86J	6633	84G
6163	81D	6354	84F	6414	83D	6634	86G
6164	81B	6355	87D	6415	86A	6635	88A
6165	81C	6356	83A	6416	88A	6636	86G
6166	81E	6357	82C	6417	83D	6637	88C
6167	81E	6358	82C	6418	84A	6638	84B
6168	81A	6359	81E	6419	83D	6639	86E
6169	81C	6360	82C	6420	83D	6640	84B
6300	81C	6361	84B	6421	83D	6641	88C
6301	83C	6362	84K	6422	84J	6642	86H
6302	81D	6363	84B	6423	88A	6643	88C
6303	84J	6364	83B	6424	86G	6644	87K
6304	87G	6365	82D	6425	87E	6645	84B
6305	83B	6366	81D	6426	86A	6646	84F
6306	85A	6367	87G	6427	88D	6647	88A
6307	84G	6368	82D	6428	86A	6648	88F
6308	84K	6369	82D	6429	86G	6649	86F

17

6650	87B	6710	86B	6770	88B	6850*	82B
6651	86J	6711	86B	6771	88B	6851*	85A
6652	86J	6712	88C	6772	86B	6852*	82B
6653	86G	6713	87C	6773	88B	6853*	84E
6654	86J	6714	87D	6774	88C	6854*	84C
6655	88F	6715	87B	6775	88C	6855*	83D
6656	82B	6716	82C	6776	87B	6856*	84C
6657	84D	6717	87B	6777	87B	6857*	84F
6658	88C	6718	87B	6778	88B	6858*	84E
6659	88A	6719	87B	6779	88B	6859*	6C
6660	88A	6720	87B	6800*	83G	6860*	84B
6661	88E	6721	88B	6801*	83G	6861*	86G
6662	87D	6722	88C	6802*	81D	6862*	84B
6663	86H	6723	88C	6803*	84F	6863*	82B
6664	88A	6724	88C	6804*	82B	6864*	81D
6665	88A	6725	86B	6805*	82B	6865*	81D
6666	86E	6726	86B	6806*	83G	6866*	84E
6667	84F	6727	86B	6807*	85A	6867*	82B
6668	88C	6728	86B	6808*	83G	6868*	83B
6669	88C	6729	86B	6809*	83G	6869*	83G
6670	82B	6730	86B	6810*	87F	6870*	86A
6671	82B	6731	86B	6811*	82B	6871*	86G
6672	86A	6732	86B	6812*	84B	6872*	86G
6673	86E	6733	88C	6813*	83A	6873*	83D
6674	84F	6734	87K	6814*	83A	6874*	81A
6675	86G	6735	86B	6815*	83B	6875*	83B
6676	86E	6736	88C	6816*	84C	6876*	82B
6677	84F	6737	82C	6817*	83G	6877*	85A
6678	84F	6738	82C	6818*	87G	6878*	6C
6679	86F	6739	82C	6819*	84C	6879*	84C
6680	87E	6740	86B	6820*	86A	6900*	82A
6681	85C	6741	82C	6821*	81A	6901*	84K
6682	88A	6742	86B	6822*	83A	6902*	82F
6683	84K	6743	86B	6823*	87J	6903*	87E
6684	88A	6744	88B	6824*	83G	6904*	84E
6685	86J	6745	88C	6825*	83G	6905*	85C
6686	87B	6746	88C	6826*	83G	6906*	84C
6687	86G	6747	88C	6827*	82B	6907*	83D
6688	87F	6748	88C	6828*	84F	6908*	82B
6689	86E	6749	87B	6829*	83A	6909*	86E
6690	82D	6750	88C	6830*	82B	6910*	81E
6691	87B	6751	88B	6831*	6C	6911*	83G
6692	86H	6752	88B	6832*	82B	6912*	83D
6693	86G	6753	88C	6833*	84C	6913*	83D
6694	84J	6754	88C	6834*	81A	6914*	82B
6695	87E	6755	86B	6835*	84C	6915*	82C
6696	84C	6756	86B	6836*	82B	6916*	85C
6697	84D	6757	88C	6837*	86C	6917*	85B
6698	84J	6758	88C	6838*	83G	6918*	87E
6699	82D	6759	86B	6839*	84C	6919*	87G
6700	88B	6760	86B	6840*	86G	6920*	84B
6701	88B	6761	87B	6841*	6C	6921*	85B
6702	88B	6762	87C	6842*	82B	6922*	82B
6703	88B	6763	87C	6843*	84E	6923*	81D
6704	88B	6764	86B	6844*	84B	6924*	84D
6705	88B	6765	88B	6845*	82B	6925*	82B
6706	88B	6766	87C	6846*	82B	6926*	86E
6707	88B	6767	86B	6847*	84E	6927*	81A
6708	88B	6768	87B	6848*	84B	6928*	86C
6709	88B	6769	88C	6849*	86G	6929*	84C

6930*	85A	6990*	81A	7211	87F	7317	84E
6931*	83F	6991*	82D	7212	86E	7318	87F
6932*	81A	6992*	85C	7213	86J	7319	84G
6933*	81F	6993*	82F	7214	86A	7320	87F
6934*	83A	6994*	83C	7215	86A	7321	82C
6935*	82D	6995*	83B	7216	86J	7400	87G
6936*	85B	6996*	81A	7217	86A	7401	87G
6937*	81F	6997*	82A	7218	84B	7402	84F
6938*	85A	6998*	86C	7219	86C	7403	84J
6939*	86C	6999*	86C	7220	83A	7404	81F
6940*	84B			7221	86J	7405	89A
6941*	84K	7000*	83A	7222	87F	7406	89C
6942*	84B	7001*	81A	7223	86E	7407	87G
6943*	86C	7002*	87E	7224	86E	7408	82F
6944*	81A	7003*	87E	7225	87F	7409	84J
6945*	82F	7004*	81A	7226	84B	7410	89A
6946*	86C	7005*	85A	7227	84B	7411	81F
6947*	85A	7006*	85B	7228	87F	7412	81F
6948*	86C	7007*	85A	7229	86E	7413	87H
6949*	83D	7008*	81F	7230	86E	7414	84J
6950*	85A	7009*	87E	7231	86A	7415	82C
6951*	85A	7010*	81F	7232	86A	7416	85C
6952*	81E	7011*	82A	7233	86G	7417	89C
6953*	81F	7012*	87E	7234	86G	7418	82C
6954*	82B	7013*	81A	7235	86G	7419	87G
6955*	82D	7014*	82A	7236	83A	7420	85C
6956*	84A	7015*	82C	7237	83D	7421	83B
6957*	82B	7016*	86C	7238	84B	7422	83F
6958*	82A	7017*	86C	7239	86E	7423	86J
6959*	81A	7018*	87E	7240	83A	7424	82C
6960*	81A	7019*	82A	7241	86A	7425	87G
6961*	81A	7020*	86C	7242	88A	7426	86G
6962*	81A	7021*	87E	7243	84B	7427	83A
6963*	84B	7022*	86C	7244	87B	7428	84F
6964*	84A	7023*	86C	7245	86A	7429	84F
6965*	83D	7024*	81A	7246	86E	7430	84F
6966*	84C	7025*	81A	7247	86A	7431	84K
6967*	82A	7026*	84A	7248	87A	7432	84F
6968*	81D	7027*	81A	7249	86A	7433	84J
6969*	86C	7028*	87E	7250	83A	7434	89A
6970*	81F	7029*	83A	7251	86E	7435	84F
6971*	84E	7030*	81A	7252	86A	7436	81F
6972*	82A	7031*	83D	7253	86A	7437	85A
6973*	81A	7032*	81A	7300	82D	7438	84E
6974*	81A	7033*	81A	7301	85C	7439	87K
6975*	84B	7034*	82A	7302	82D	7440	84J
6976*	84C	7035*	84G	7303	85B	7441	84F
6977*	82A	7036*	81A	7304	83B	7442	84F
6978*	82D	7037*	82C	7305	84J	7443	84J
6979*	84C	7200	83A	7306	87H	7444	87G
6980*	84G	7201	82B	7307	85C	7445	88A
6981*	82A	7202	88A	7308	85C	7446	83E
6982*	82A	7203	86A	7309	82D	7447	84J
6983*	81A	7204	87A	7310	84J	7448	84F
6984*	85C	7205	88A	7311	84B	7449	84F
6985*	85C	7206	86G	7312	85B	7700	85D
6986*	82B	7207	84B	7313	84J	7701	87A
6987*	85A	7208	84B	7314	85C	7702	84D
6988*	82F	7209	83E	7315	84A	7703	86H
6989*	85C	7210	86A	7316	83C	7704	87D

7705	84F	7765	87F	7825*	84J	8414	88B
7706	87B	7766	88D	7826*	84J	8415	84E
7707	85C	7767	87A	7827*	84K	8416	88B
7708	81D	7768	86A	7828*	87A	8417	84B
7709	83E	7769	87A	7829*	87A	8418	87B
7710	81E	7770	86F	7900*	81F	8419	84F
7711	82B	7771	86A	7901*	82B	8420	88E
7712	86B	7772	88D	7902*	81A	8421	83C
7713	84E	7773	86J	7903*	81A	8422	83D
7714	6C	7774	86B	7904*	81A	8423	87B
7715	83E	7775	86H	7905*	83D	8424	88E
7716	83C	7776	87F	7906*	81D	8425	83D
7717	88D	7777	81D	7907*	82B	8426	83D
7718	82B	7778	86F	7908*	82B	8427	85A
7719	82B	7779	82B	7909*	83D	8428	84B
7720	86J	7780	82B	7910*	81C	8429	88B
7721	86B	7781	86A	7911*	81F	8430	
7722	88B	7782	82B	7912*	84E	8431	
7723	85B	7783	82B	7913*	84E	8432	
7724	86G	7784	82D	7914*	82C	8433	
7725	86F	7785	87F	7915*	84B	8434	
7726	82B	7786	87A	7916*	83E	8435	
7727	82D	7787	87E	7917*	82D	8436	
7728	82B	7788	81D	7918*	84E	8437	
7729	82B	7789	86E	7919*	81D	8438	
7730	81C	7790	82B	7920*	85A	8439	
7731	81C	7791	81A	7921*	84K	8440	
7732	81C	7792	82C	7922*	84K	8441	
7733	87B	7793	82B	7923*	82C	8442	
7734	81A	7794	82C	7924*	82D	8443	
7735	84E	7795	82B	7925*	83G	8444	
7736	86A	7796	84B	7926*	85B	8445	
7737	87A	7797	84B	7927*	81D	8446	
7738	88A	7798	86F	7928*	85A	8447	
7739	87A	7799	87A	7929*	84E	8448	
7740	86G	7800*	84C			8449	
7741	85B	7801*	83D	8100	84D	8450	86E
7742	87A	7802*	89C	8101	85D	8451	88C
7743	87A	7803*	89C	8102	87H	8452	84C
7744	87B	7804*	83D	8103	89A	8453	86A
7745	87F	7805*	83A	8104	87A	8454	87B
7746	86F	7806*	83A	8105	85A	8455	88B
7747	87J	7807*	89A	8106	85A	8456	83C
7748	86B	7808*	89A	8107	87H	8457	88B
7749	82B	7809*	83D	8108	84E	8458	88C
7750	85A	7810*	84G	8109	84D	8459	84C
7751	88B	7811*	84C	8400	84C	8460	88C
7752	86F	7812*	83A	8401	86E	8461	88C
7753	86A	7813*	83A	8402	86H	8462	84A
7754	84H	7814*	83D	8403	83A	8463	84E
7755	87F	7815*	83B	8404	83F	8464	88B
7756	87D	7816*	87H	8405	84C	8465	88C
7757	87A	7817*	84J	8406	86A	8466	87B
7758	84E	7818*	85B	8407	84C	8467	87F
7759	84B	7819*	89A	8408	87C	8468	84E
7760	81F	7820*	89A	8409	83G	8469	88B
7761	83C	7821*	89A	8410	87B	8470	88C
7762	83D	7822*	89A	8411	84A	8471	88A
7763	84C	7823*	84C	8412	83F	8472	82C
7764	86E	7824*	85B	8413	82B	8473	83A

8474	87F	8734	84A	8794	86H	9407	81C
8475	87C	8735	88C	8795	82B	9408	84B
8476	87C	8736	88D	8796	86B	9409	81C
8477	87F	8737	82B	8797	84F	9410	81A
8478		8738	87F	8798	84B	9411	81A
8479		8739	86D	8799	86E	9412	81A
8480	85A	8740	86F			9413	81E
8481	88A	8741	82B	9000	89C	9414	81A
8482	88A	8742	84F	9001	89A	9415	81B
8483		8743	88B	9002	89C	9416	81F
8484		8744	82D	9003	89A	9417	81E
8485		8745	82E	9004	89C	9418	81A
8486		8746	82B	9005	89C	9419	81A
8487		8747	82B	9008	84E	9420	81A
8488		8748	86F	9009	89C	9421	81B
8489		8749	87F	9010	84E	9422	81A
8490		8750	81A	9011	82C	9423	81A
8491		8751	81A	9012	89C	9424	81B
8492		8752	81C	9013	89C	9425	84C
8493		8753	81A	9014	89C	9426	84C
8494		8754	81A	9015	81E	9427	84F
8495		8755	86G	9016	89C	9428	84A
8496		8756	81A	9017	89A	9429	85A
8497		8757	81A	9018	82C	9430	87A
8498		8758	81C	9020	89A	9431	87B
8499		8759	81A	9021	89C	9432	84E
8700	84E	8760	81A	9022	89A	9433	83D
8701	85B	8761	81A	9023	82C	9434	83F
8702	82B	8762	81A	9024	89C	9435	84A
8703	82B	8763	81A	9025	89C	9436	87A
8704	84F	8764	81A	9026	89A	9437	87B
8705	84A	8765	81A	9027	89C	9438	84C
8706	87F	8766	82B	9028	89C	9439	83C
8707	81A	8767	81A	9300	81C	9440	83A
8708	87F	8768	81A	9301	81C	9441	85B
8709	83D	8769	81A	9302	81C	9442	87A
8710	86A	8770	81A	9303	81D	9443	87F
8711	86A	8771	81A	9304	81C	9444	87B
8712	86F	8772	81A	9305	81D	9445	85B
8713	82B	8773	81A	9306	81D	9446	87A
8714	82B	8774	81C	9307	81D	9447	87B
8715	87A	8775	87A	9308	81D	9448	87A
8716	86G	8776	86C	9309	81C	9449	84C
8717	85B	8777	86F	9310	81C	9450	84F
8718	85D	8778	86A	9311	81C	9451	87A
8719	83D	8779	82C	9312	84F	9452	87H
8720	87C	8780	88A	9313	81D	9453	82B
8721	86F	8781	85B	9314	84B	9454	87B
8722	81B	8782	87A	9315	81D	9455	87B
8723	86C	8783	82C	9316	81F	9456	87B
8724	86H	8784	87A	9317	81F	9457	87C
8725	6C	8785	87F	9318	81D	9458	86A
8726	84A	8786	86G	9319	81D	9459	86H
8727	85D	8787	84C	9400	82C	9460	86H
8728	86C	8788	86G	9401	81D	9461	87B
8729	84K	8789	87E	9402	81D	9462	83A
8730	82B	8790	82B	9403	81F	9463	83G
8731	85C	8791	84F	9404	81D	9464	85B
8732	87F	8792	84F	9405	81D	9465	87F
8733	83E	8793	82C	9406	81B	9466	85A

No.	Shed	No.	Shed	No.	Shed	No.	Shed
9467	83D	9627	87A	9704	81A	9764	82F
9468	87F	9628	82D	9705	81A	9765	83D
9469	87F	9629	86C	9706	81A	9766	87B
9470	88A	9630	84H	9707	81A	9767	84F
9471	85B	9631	88C	9708	81A	9768	84B
9472	87F	9632	86A	9709	81A	9769	84B
9473		9633	83A	9710	81A	9770	83D
9474		9634	87B	9711	83D	9771	82B
9475		9635	84E	9712	86J	9772	82C
9476		9636	84F	9713	86C	9773	82C
9477		9637	86A	9714	84B	9774	84K
9478		9638	88D	9715	84B	9775	87E
9479		9639	84H	9716	83D	9776	88B
9480		9640	81F	9717	83G	9777	87E
9481		9641	81C	9718	83B	9778	83A
9482		9642	82F	9719	84G	9779	87A
9483		9643	88D	9720	82C	9780	86D
9484		9644	86A	9721	82C	9781	81B
9485		9645	87D	9722	81D	9782	84F
9486		9646	83B	9723	86C	9783	87A
9487		9647	83B	9724	84E	9784	81A
9488		9648	86C	9725	81A	9785	87B
9489		9649	86F	9726	81C	9786	87A
9490		9650	86G	9727	85B	9787	87F
9491		9651	6C	9728	84K	9788	87F
9492		9652	87H	9729	82B	9789	81B
9493		9653	81B	9730	84B	9790	82C
9494		9654	81F	9731	86A	9791	81D
9495		9655	83E	9732	83E	9792	87A
9496		9656	84G	9733	84E	9793	84J
9497		9657	84G	9734	87A	9794	84K
9498		9658	81A	9735	87B	9795	82C
9499		9659	81A	9736	87B	9796	86H
9600	82C	9660	86F	9737	87B	9797	86G
9601	82E	9661	81A	9738	87E	9798	84E
9602	87J	9662	86A	9739	84B	9799	87B
9603	87J	9663	83B	9740	84G		
9604	82A	9664	86A	9741	84F		
9605	82B	9665	82B	9742	84H		
9606	82B	9666	87A	9743	87F		
9607	86J	9667	86A	9744	87D		
9608	84E	9668	83A	9745	86E		
9609	86J	9669	84J	9746	86D		
9610	84E	9670	83B	9747	84B		
9611	81F	9671	83D	9748	84E		
9612	82D	9672	84G	9749	81D		
9613	84F	9673	83E	9750	87A		
9614	84E	9674	86F	9751	81A		
9615	82D	9675	88D	9752	84B		
9616	86A	9676	88C	9753	84E		
9617	87B	9677	88B	9754	81A		
9618	88D	9678	6C	9755	83E		
9619	85C	9679	88B	9756	87A		
9620	82F	9680	84E	9757	83B		
9621	84A	9681	86F	9758	81A		
9622	88D	9682	84E	9759	86C		
9623	83A	9700	81A	9760	87J		
9624	84H	9701	81A	9761	87B		
9625	87D	9702	81A	9762	82D		
9626	82B	9703	81A	9763	81D		

NON-STEAM LOCOS

No.	Shed
10000	1A
10001	1A
10100	17A
10201	70A
10202	70A
10203	
10800	1E
11001	75C
11100	32B
11101	32D
11102	31B
11103	
11104	51C
12000	5B
12001	5B
12002	5B

W.R. Diesel Railcars

1	81D	11	87E	20	82F	29	84F
2	87E	12	87E	21	82B	30	86G
3	86A	13	87E	22	81D	31	85A
4	86B	14	84F	23	86A	32	85A
5	85A	15	87G	24	82B	34	81C
6	85A	16	81F	25	85B	35	82B
7	85A	17	81C	26	84D	36	82B
8	84F	18	81D	27	85A	38	81D
10	87E	19	81D	28	82B		

12003	8C	12048	18A	12093	3B	12138	
12004	1A	12049	5B	12094	3B		
12005	1A	12050	5B	12095	3D	15000	31B
12006	18A	12051	5B	12096	16A	15001	31B
12007	8C	12052	5B	12097	16A	15002	31B
12008	8C	12053	5B	12098	16A	15003	31B
12009	1A	12054	5B	12099	16A	15004	34B
12010	1A	12055	5B	12100	16A	15098	30A
12011	8C	12056	18A	12101	16A	15099	30A
12012	18A	12057	18A	12102		15100	82B
12013	8C	12058	16A	12103	30A	15101	84E
12014	8C	12059	21A	12104	30A	15102	81A
12015	8C	12060	21A	12105	30A	15103	84E
12016	8C	12061	21A	12106	30A	15104	81A
12017	8C	12062	21A	12107	30A	15105	81A
12018	8C	12063	14A	12108	30A	15106	81A
12019	1A	12064	14A	12109		15107	82B
12020	8C	12065	14A	12110		15201	75C
12021	1A	12066	14A	12111		15202	81A
12022	1A	12067	14A	12112		15203	81A
12023	1A	12068	14A	12113		15211	75C
12024	8C	12069	16A	12114		15212	75C
12025	8C	12070	84E	12115		15213	75C
12026	8C	12071	84E	12116		15214	75C
12027	8C	12072	84E	12117		15215	75C
12028	8C	12073	18A	12118		15216	75C
12029	1A	12074	21A	12119		15217	75C
12030	1A	12075	21A	12120		15218	75C
12031	1A	12076	21A	12121		15219	75C
12032	1A	12077	21A	12122		15220	73C
12033	5B	12078	5B	12123		15221	73C
12034	5B	12079	68A	12124		15222	73C
12035	5B	12080	68A	12125		15223	73C
12036	5B	12081	12A	12126		15224	73C
12037	5B	12082	12A	12127		15225	73C
12038	18A	12083	12A	12128		15226	73C
12039	21A	12084	68E	12129		15227	73C
12040	21A	12085	68E	12130		15228	73C
12041	21A	12086	68E	12131		15229	73C
12042	21A	12087	84E	12132		15230	73C
12043	21A	12088	3D	12133		15231	73C
12044	21A	12089	3D	12134		15232	73C
12045	18A	12090	3D	12135		15233	73C
12046	18A	12091	3A	12136		15234	73C
12047	18A	12092	3A	12137		15235	75C

18000	81A	26053		30069	711	30224	72A
18100	81A	26054		30070	711	30225	71A
		26055		30071	711	30229	71A
20001	Durnsford Rd.	26056		30072	711	30230	70B
20002	Durnsford Rd.	26057		30073	711	30231	71C
20003	Durnsford Rd.	26500	52B	30074	711	30232	72A
		26501	52B	30082	71A	30233	71A
26000	30A	26510	30A	30083	72D	30236	72D
26001	30A			30084	74C	30238	70C
26002	36B			30086*	71B	30241	70A
26003	30A	STEAM		30087	71B	30242	71A
26004	30A	LOCOS		30088	72D	30243	71A
26005	30A			30089*	71B	30244	70A
26006	30A	30021	72A	30093*	71B	30245	72A
26007	30A	30022	70C	30094	72D	30246	70C
26008	30A	30023	72A	30096*	71A	30247	72E
26009	30A	30024	72A	30102*	72D	30248	70A
26010	30A	30025	72A	30104	71B	30249	70A
26011	36B	30026	70C	30105	71B	30250	72E
26012	36B	30027	70C	30106	71B	30251	72E
26013	36B	30028	70C	30107	71B	30252	72E
26014	36B	30029	71A	30108	70C	30253	72E
26015	36B	30030	71A	30109	70C	30254	70B
26016	36B	30031	71A	30110	70C	30255	72E
26017	36B	30032	71A	30111	71B	30256	72E
26018	36B	30033	71A	30112	71B	30258	70D
26019	36B	30034	72D	30117	71C	30260	71B
26020	36B	30035	72D	30119	71C	30266	70D
26021	36B	30036	72D	30120	71C	30270	70E
26022	36B	30037	72D	30123	70A	30274	71H
26023	36B	30038	70B	30124	70A	30277	70C
26024	36B	30039	72D	30125	71A	30282	71A
26025	36B	30040	72A	30127	71A	30283	71A
26026	36B	30041	72A	30128	71B	30284	71A
26027	36B	30042	72A	30129	72C	30285	71A
26028	36B	30043	70B	30130	70A	30287	71A
26029	36B	30044	72A	30131	72C	30288	71A
26030	36B	30045	72A	30132	70A	30289	71A
26031	36B	30046	72A	30133	72C	30300	71A
26032	36B	30047	75D	30160	70D	30301	72B
26033	36B	30048	75D	30162	71C	30302	72B
26034	36B	30049	75D	30170	71A	30304	72B
26035	36B	30050	75D	30172	71A	30306	71A
26036	36B	30051	71D	30177	71C	30307	70C
26037	36B	30052	71D	30179	71C	30308	70C
26038	36B	30053	71D	30182	72D	30309	70C
26039	36B	30054	71D	30183	72D	30310	70C
26040	36B	30055	71B	30192	72F	30311	70C
26041	36B	30056	71B	30193	72A	30313	70C
26042	36B	30057	71B	30197	71C	30315	72B
26043	36B	30058	71B	30199	72A	30316	71A
26044		30059	71B	30200	72F	30317	72B
26045		30060	71B	30203	72F	30318	71B
26046		30061	711	30204	71B	30319	70A
26047		30062	711	30207	72D	30320	72A
26048		30063	711	30212	71B	30321	71B
26049		30064	711	30213	71A	30322	70A
26050		30065	711	30216	72D	30323	72A
26051		30066	711	30221	70A	30324	70C
26052		30067	711	30223	71C	30325	70C
		30068	711				

24

30326	70C	30484	70A	30549	71B	30715	72A
30327	70C	30485	70A	30564	72A	30717	72A
30328	70C	30486	70A	30565	71A	30718	70A
30330	72B	30487	70A	30566	71A	30719	70A
30331	72B	30488	70A	30567	70B	30721	70A
30332	72B	30489	70A	30568	70B	30724	70A
30333	72B	30490	70A	30569	70B	30725	70A
30334	72B	30491	70A	30570	70B	30726	70D
30335	72B	30492	70B	30571	70B	30727	71B
30336	70C	30493	70B	30572	70B	30728	71B
30337	70C	30494	70B	30573	70B	30729	71B
30338	70C	30495	70B	30574	70C	30730	71D
30339	70B	30496	70B	30575	70C	30732	71D
30346	70B	30497	70B	30577	72C	30733	71D
30349	70C	30498	70B	30578	70C	30736*	71B
30350	71A	30499	70B	30579	70C	30737*	71B
30352	70B	30500	70B	30580	72A	30738*	71B
30355	70B	30501	70B	30581	72A	30739*	71B
30356	72A	30502	70B	30582	72A	30740*	71B
30357	72A	30503	70B	30583	72A	30741*	71B
30368	70D	30504	70B	30584	72A	30742*	71B
30374	72A	30505	70B	30585	72F	30743*	71B
30375	72A	30506	70B	30586	72F	30744*	70A
30376	72A	30507	70B	30587	72F	30745*	70D
30377	72A	30508	70B	30588	71A	30746*	71A
30378	71A	30509	70B	30589	71A	30747*	71A
30379	71A	30510	70B	30667	72A	30748*	71A
30400	71C	30511	70B	30668	72A	30749*	71A
30411	71A	30512	70B	30669	72A	30750*	70A
30415	71D	30513	70B	30670	72A	30751*	70A
30434	70C	30514	70B	30671	72A	30752*	70A
30437	71A	30515	70B	30673	72B	30753*	70A
30448*	72B	30516	70B	30674	72B	30754*	70A
30449*	72B	30517	70B	30675	72B	30755*	70A
30450*	72B	30518	70B	30676	72A	30757*	72D
30451*	72B	30519	70B	30687	70B	30758*	72D
30452*	72B	30520	70B	30688	70B	30763*	73A
30453*	72B	30521	70A	30689	70B	30764*	73A
30454*	72B	30522	70A	30690	72B	30765*	73A
30455*	72B	30523	70A	30691	72B	30766*	73A
30456*	70A	30524	70A	30692	70A	30767*	73A
30457*	70A	30530	71A	30693	70C	30768*	73A
30458*	70C	30531	71A	30694	70A	30769*	73A
30464	71A	30532	71A	30695	71B	30770*	74C
30465	71A	30533	75C	30696	70B	30771*	74C
30466	71A	30534	75C	30697	70B	30772*	74C
30467	71A	30535	71A	30698	70B	30773*	74C
30470	71A	30536	71A	30699	70A	30774*	74C
30471	71A	30537	75C	30700	70A	30775*	74C
30473	71A	30538	75C	30701	70A	30776*	74C
30474	71A	30539	75C	30702	72A	30777*	74C
30475	71A	30540	75E	30703	72B	30778*	74C
30476	71A	30541	75E	30705	70D	30779*	74C
30477	71A	30542	71A	30706	72C	30780*	70A
30478	71A	30543	71A	30707	72C	30781*	70A
30479	71A	30544	75E	30708	70D	30782*	71B
30480	71A	30545	75D	30709	72A	30783*	71B
30481	71A	30546	75D	30710	72A	30784*	71A
30482	70A	30547	75C	30711	72A	30785*	71A
30483	70A	30548	71B	30712	72A	30786*	71A

30787*	71A	30865*	71B	31048	74A	31266	73A
30788*	71A	30900*	74E	31054	73C	31267	73E
30789*	71A	30901*	74E	31059	73C	31268	73E
30790*	71A	30902*	74E	31061	73C	31269	73A
30791*	73A	30903*	74E	31063	73C	31270	74D
30792*	73A	30904*	74E	31064	74A	31271	74D
30793*	73A	30905*	74E	31065	74A	31272	74D
30794*	73A	30906*	74E	31067	73A	31274	74C
30795*	73A	30907*	74E	31068	73B	31276	74B
30796*	74C	30908*	74E	31069	74A	31277	74D
30797*	74C	30909*	74E	31071	73B	31278	74A
30798*	74C	30910*	74E	31075	70E	31279	74A
30799*	73B	30911*	74E	31086	73B	31280	73B
30800*	73B	30912*	74E	31090	73B	31287	73B
30801*	73B	30913*	74B	31102	73B	31291	73B
30802*	74A	30914*	74B	31107	74C	31293	73B
30803*	74A	30915*	74B	31112	73D	31294	73B
30804*	74A	30916*	74B	31113	74C	31295	73E
30805*	74A	30917*	74B	31128	74C	31297	73B
30806*	73C	30918*	74B	31145	74C	31298	74B
30823	72B	30919*	74C	31147	74C	31305	73E
30824	72B	30920*	74C	31150	74C	31306	73D
30825	72B	30921*	74C	31154	74C	31307	73D
30826	72B	30922*	75A	31158	73A	31308	73D
30827	72B	30923*	74C	31161	74A	31309	75B
30828	72B	30924*	74C	31162	73E	31310	75B
30829	72B	30925*	73B	31164	74D	31311	73A
30830	72B	30926*	73B	31165	73B	31315	73E
30831	72B	30927*	73B	31166	73E	31317	74C
30832	72B	30928*	73B	31174	74E	31319	73A
30833	70B	30929*	73B	31177	74D	31320	73A
30834	70B	30930*	73B	31178	74C	31321	73A
30835	75B	30931*	73B	31184	74D	31322	75F
30836	75B	30932*	73B	31191	74C	31323	74C
30837	75B	30933*	73B	31193	74D	31324	73E
30838	70B	30934*	73B	31218	74A	31325	75A
30839	70B	30935*	73B	31219	74D	31326	73E
30840	70B	30936*	73B	31221	73D	31327	74A
30841	72A	30937*	73B	31223	73D	31328	74C
30842	72A	30938*	73B	31225	73C	31329	73E
30843	72A	30939*	73B	31227	73D	31335	74E
30844	72A	30950	71A	31229	73D	31337	74C
30845	72A	30951	73D	31234	73D	31339	74A
30846	72B	30952	71A	31239	74D	31340	74C
30847	72B	30953	74A	31242	73D	31370	74A
30850*	71A	30954	72A	31243	74C	31400	74A
30851*	71A	30955	74A	31244	74D	31401	74A
30852*	71A	30956	71A	31245	73C	31402	74A
30853*	71A	30957	72B	31246	74C	31403	74A
30854*	71A			31247	74C	31404	74A
30855*	71A			31252	74B	31405	74A
30856*	71A	31004	74B	31253	73E	31406	74A
30857*	71A	31005	73A	31255	73E	31407	74A
30858*	70A	31010	74A	31256	73E	31408	74A
30859*	70A	31018	73C	31258	74C	31409	73A
30860*	70A	31019	73A	31259	74D	31410	73A
30861*	71B	31027	71A	31260	73E	31411	73A
30862*	71B	31033	73C	31261	73A	31412	73A
30863*	71B	31037	74E	31263	73A	31413	73A
30864*	71B	31038	74E	31265	73A	31414	73A
		31047	74C				

31425	74C	31575	73A	31682	73D	31764	74D
31430	74C	31576	73A	31683	73D	31765	74D
31434	74C	31577	74A	31684	73D	31766	74E
31461	73E	31578	73A	31686	73D	31767	74E
31470	74C	31579	73A	31687	73C	31768	74E
31480	73C	31580	73A	31688	73C	31769	74E
31481	73E	31581	73A	31689	73C	31770	71A
31486	73C	31582	73A	31690	74B	31771	71A
31487	73E	31583	73A	31691	73C	31772	71A
31488	70E	31584	73A	31692	73C	31773	71A
31489	73E	31585	74D	31693	73C	31774	71A
31491	75B	31586	75B	31694	73C	31775	71A
31492	73E	31588	74D	31695	73C	31776	71A
31493	74E	31589	74A	31697	73D	31777	71A
31494	73E	31590	74D	31698	73E	31778	71A
31495	73D	31591	75B	31700	74D	31779	71A
31496	74E	31592	74B	31703	74D	31780	74B
31497	73B	31593	73D	31704	74D	31781	74B
31498	73D	31610	70E	31706	74D	31782	74B
31500	73E	31611	70E	31708	73E	31783	74B
31501	73D	31612	70E	31711	74A	31784	74A
31503	73E	31613	70E	31712	73D	31785	74A
31504	73A	31614	70E	31713	73D	31786	73B
31505	73B	31615	70E	31714	73E	31787	73B
31506	73A	31616	70E	31715	73E	31788	73B
31507	73B	31617	70E	31716	74D	31789	73B
31508	73D	31618	70E	31717	74D	31790	72C
31509	73D	31619	70A	31718	73A	31791	72C
31510	73D	31620	70A	31719	73A	31792	72C
31512	74A	31621	70A	31720	73B	31793	72C
31513	74A	31622	71B	31721	73A	31794	72C
31517	75F	31623	71B	31722	73B	31795	72C
31518	74E	31624	70C	31723	73B	31796	72C
31519	74B	31625	70C	31724	73B	31797	70C
31520	75F	31626	70C	31725	73B	31798	70C
31521	74B	31627	70C	31727	74D	31799	70C
31522	74A	31628	70C	31728	74D	31800	70C
31523	74D	31629	70C	31729	73D	31801	70C
31530	74C	31630	70C	31733	74D	31802	70C
31531	74C	31631	71A	31734	74D	31803	73E
31533	73B	31632	71C	31735	74A	31804	73E
31540	73B	31633	70D	31737	70E	31805	71A
31542	73B	31634	70D	31739	74D	31806	73E
31543	73B	31635	72B	31741	73B	31807	71D
31544	73B	31636	72B	31743	73A	31808	71A
31545	73D	31637	72B	31744	70E	31809	71D
31548	74D	31638	71A	31746	70E	31810	73A
31549	74A	31639	72B	31749	73A	31811	73A
31550	74D	31658	73D	31750	70E	31812	73A
31551	70A	31660	73D	31753	74C	31813	73A
31552	70A	31661	73E	31754	74C	31814	73A
31553	70A	31662	73D	31755	74A	31815	73D
31554	70A	31663	73D	31756	74A	31816	73D
31555	74C	31665	74D	31757	74A	31817	74C
31556	75A	31666	74D	31758	74A	31818	74C
31557	73A	31671	74D	31759	74A	31819	74C
31558	73A	31673	74C	31760	74D	31820	74C
31572	74A	31674	73E	31761	74D	31821	74C
31573	73A	31675	74D	31762	74D	31822	73C
31574	74A	31681	73D	31763	74D	31823	73B

31824	73B	31893	73B	32170	75A	32440	75A
31825	73B	31894	75B	32327*	70D	32441	75A
31826	73B	31895	75B	32328*	70D	32442	75A
31827	73B	31896	75B	32329*	70D	32443	75C
31828	73B	31897	75B	32330*	70D	32444	75C
31829	73B	31898	75B	32331*	70D	32445	75C
31830	72A	31899	73C	32332*	70D	32446	75C
31831	72A	31900	73C	32333*	70D	32447	75C
31832	72A	31901	73A	32337	75A	32448	75B
31833	72A	31902	73A	32338	75A	32449	75B
31834	72A	31903	73A	32339	75A	32450	75B
31835	72A	31904	73A	32340	75A	32451	75B
31836	72A	31905	73A	32341	75A	32453	73B
31837	72A	31906	73A	32342	75A	32454	74D
31838	72A	31907	73A	32343	75A	32455	73B
31839	72A	31908	73A	32344	75A	32456	74D
31840	72A	31909	73A	32345	75A	32458	73B
31841	72A	31910	73A	32346	75A	32459	73B
31842	72A	31911	73C	32347	75E	32460	73B
31843	72A	31912	73A	32348	75E	32461	73B
31844	72A	31913	73C	32349	71D	32462	73B
31845	72A	31914	73A	32350	75E	32463	75D
31846	72A	31915	73C	32351	75E	32464	75D
31847	72A	31916	75C	32352	75E	32465	75D
31848	72A	31917	75C	32353	75E	32466	75C
31849	72A	31918	75C	32364	75D	32467	75D
31850	73E	31919	75C	32365	75A	32468	75D
31851	71D	31920	75C	32368	75A	32469	75D
31852	71D	31921	73C	32372	75A	32470	75D
31853	73B	31922	73C	32376	75A	32471	73B
31854	73E	31923	73C	32378	75A	32472	73B
31855	73B	31924	73C	32379	75D	32473	73B
31856	73C	31925	73C	32380	75D	32474	73B
31857	73C			32384	75G	32475	75A
31858	73C	32091	75A	32385	75G	32476	75C
31859	73C	32094	72D	32386	74E	32477	75C
31860	73C	32095	72E	32390	74E	32478	75C
31861	73C	32096	72E	32391	74E	32479	71D
31862	73C	32100	73A	32399	75E	32480	75E
31863	75B	32101	73A	32401	75D	32481	75E
31864	75B	32102	73A	32407	75C	32482	75B
31865	75B	32103	73A	32408	73B	32484	75E
31866	75B	32104	73A	32409	73B	32485	75G
31867	75B	32105	73A	32410	73B	32486	71A
31868	75B	32106	73A	32411	75C	32487	70C
31869	75B	32107	73A	32412	71A	32488	74D
31870	73B	32108	74C	32413	71A	32489	75C
31871	73B	32109	74C	32414	75C	32490	70C
31872	73B	32113	73B	32415	73B	32491	71A
31873	73B	32124	72A	32416	71A	32492	71A
31874	73B	32133	71I	32417	75C	32493	70A
31875	73B	32135	71I	32418	75C	32494	75A
31876	73C	32138	71I	32421*	75A	32495	71D
31877	73C	32139	71D	32422*	75A	32496	75A
31878	73C	32151	71A	32424*	75A	32497	70A
31879	73C	32165	73B	32425*	75A	32498	70A
31880	73C	32166	73B	32426*	75A	32499	70A
31890	73B	32167	75A	32434	75A	32500	70A
31891	73B	32168	75A	32437	75A	32501	70E
31892	73B	32169	75A	32438	75A	32502	70E

32503	74D	32570	75D	33024	71A	34043*	71G
32504	75A	32571	75E	33025	71A	34044*	71B
32505	71D	32573	75D	33026	74D	34045*	75A
32506	72B	32576	75D	33027	74D	34046*	75A
32507	73B	32577	75A	33028	74D	34047*	75A
32508	75A	32578	74D	33029	74D	34048*	75A
32509	71D	32579	71A	33030	74D	34049*	72B
32510	71A	32580	74D	33031	74D	34050*	72B
32511	75A	32581	75F	33032	74D	34051*	72B
32512	75B	32582	75D	33033	74D	34052*	72B
32513	75A	32583	75A	33034	74D	34053*	72B
32514	75A	32585	75G	33035	74D	34054*	72A
32515	75A	32586	75D	33036	73A	34055*	72A
32516	75E	32587	75F	33037	73A	34056*	72A
32517	75G	32588	75G	33038	73A	34057*	30A
32518	75G	32591	70D	33039	74E	34058*	72A
32519	75E	32592	70D	33040	74E	34059*	72A
32520	75E	32593	74C			34060*	72A
32521	75D	32606	71I	34001*	72A	34061*	72A
32522	75D	32608	72E	34002*	72A	34062*	72A
32523	75D	32610	72E	34003*	72A	34063*	70A
32524	73B	32636	75A	34004*	70A	34064*	70A
32525	73B	32640	75A	34005*	70A	34065*	30A
32526	75E	32646	75A	34006*	70A	34066*	73A
32527	75E	32655	71D	34007*	70A	34067*	73A
32528	75E	32659	74A	34008*	70A	34068*	73A
32529	75E	32661	71D	34009*	70A	34069*	73A
32532	75E	32662	71D	34010*	70A	34070*	73A
32534	75E	32670	74A	34011*	70A	34071*	73A
32535	75E	32677	74A	34012*	70A	34072*	74C
32536	75E	32678	74A	34013*	70A	34073*	74C
32537	75E	32689	71I	34014*	72A	34074*	74C
32538	75G	32694	71D	34015*	72A	34075*	74C
32539	75A	32695	72A	34016*	72A	34076*	30A
32540	75A	32696	72E	34017*	72A	34077*	74B
32541	75G	32697	72A	34018*	70A	34078*	74B
32543	75G			34019*	70A	34079*	74B
32544	75C	33001	70C	34020*	70A	34080*	74B
32545	75C	33002	70C	34021*	72A	34081*	74B
32546	75C	33003	70C	34022*	72A	34082*	74B
32547	75C	33004	70C	34023*	72A	34083*	74B
32548	71D	33005	70C	34024*	72A	34084*	74B
32549	71D	33006	70B	34025*	72A	34085*	74B
32550	71D	33007	70B	34026*	72A	34086*	74B
32551	73B	33008	70B	34027*	72A	34087*	73A
32552	75E	33009	70B	34028*	72A	34088*	73A
32553	75E	33010	70B	34029*	72A	34089*	30A
32554	73B	33011	70B	34030*	72A	34090*	73A
32556	71A	33012	70B	34031*	72A	34091*	73A
32557	71A	33013	70B	34032*	72A	34092*	73A
32558	71A	33014	73C	34033*	72A	34093*	71B
32559	71A	33015	73C	34034*	72A	34094*	71B
32560	75B	33016	71A	34035*	72D	34095*	71B
32561	75B	33017	71A	34036*	72D	34096*	74B
32562	71A	33018	71A	34037*	72D	34097*	74B
32563	71A	33019	71A	34038*	72D	34098*	74B
32564	73B	33020	71A	34039*	30A	34099*	74B
32565	73B	33021	71A	34040*	71B	34100*	74B
32566	75A	33022	71A	34041*	71G	34101*	73A
32568	71D	33023	71A	34042*	71G	34102*	73A

29

34103* 73A	35010* 70A	35028* 73A	W20* 71F
34104* 73A	35011* 70A	35029* 74C	W21* 71F
34105* 71B	35012* 70A	35030* 74C	W22* 71F
34106* 71B	35013* 70A		W23* 71F
34107* 71B	35014* 70A		W24* 71F
34108* 71B	35015* 70A	ISLE OF	W25* 71F
34109* 71B	35016* 70A	WIGHT	W26* 71E
34110* 71B	35017* 70A		W27* 71E
	35018* 70A		W28* 71E
35001* 72A	35019* 70A	W1* 71E	W29* 71E
35002* 72A	35020* 70A	W2* 71E	W30* 71E
35003* 72A	35021* 70A	W3* 71E	W30* 71E
35004* 72A	35022* 72A	W4* 71E	W31* 71E
35005* 72A	35023* 72A	W14* 71F	W32* 71E
35006* 72B	35024* 72A	W15* 71F	W33* 71E
35007* 72B	35025* 72A	W16* 71F	W34* 71E
35008* 72B	35026* 73A	W17* 71F	W35* 71E
35009* 72B	35027* 73A	W18* 71F	W36* 71E
		W19* 71F	

=abc=

LOCOSHED BOOK

Nos. 40001-59999

LONDON   MIDLAND   REGION
STEAM   LOCOMOTIVES

Ian Allan Ltd

LONDON

SHED ALLOCATIONS OF
BRITISH RAILWAYS LOCOMOTIVES
Nos. 40001-59999

LONDON MIDLAND REGION
SCOTTISH REGION (ex L.M.S.)

IN NUMERICAL ORDER

No.	Shed	No.	Shed	No.	Shed	No.	Shed
40001	8B	40042	8B	40083	6G	40124	9F
40002	2C	40043	1C	40084	3C	40125	8D
40003	9B	40044	1A	40085	3C	40126	6E
40004	1A	40045	3D	40086	5F	40127	8E
40005	84G	40046	1A	40087	1A	40128	6E
40006	1A	40047	5D	40088	6E	40129	6C
40007	1A	40048	84G	40089	9F	40130	6G
40008	84G	40049	3B	40090	20E	40131	6C
40009	1A	40050	1A	40091	86K	40132	6C
40010	1C	40051	3D	40092	14B	40133	6G
40011	11A	40052	1A	40093	9E	40134	8D
40012	26F	40053	3B	40094	9F	40135	1A
40013	26A	40054	1A	40095	6G	40136	9A
40014	26F	40055	1A	40096	3C	40137	2B
40015	26A	40056	26F	40097	86K	40138	9B
40016	2C	40057	26F	40098	86K	40139	20C
40017	1A	40058	84G	40099	14B	40140	20C
40018	1A	40059	26F	40100	14B	40141	86K
40019	1A	40060	26F	40101	6C	40142	14B
40020	1C	40061	26F	40102	6C	40143	6K
40021	14B	40062	26F	40103	6E	40144	5C
40022	14C	40063	26A	40104	6C	40145	86K
40023	14A	40064	11D	40105	86K	40146	15C
40024	14C	40065	26A	40106	9B	40147	20D
40025	14A	40066	3B	40107	9A	40148	20A
40026	14B	40067	11D	40108	3C	40149	3C
40027	14B	40068	5D	40109	1A	40150	66C
40028	14B	40069	2C	40110	6C	40151	66C
40029	14B	40070	11A	40111	14B	40152	65D
40030	14A	40071	9B	40112	14B	40153	65D
40031	14B	40072	6C	40113	9F	40154	65D
40032	14B	40073	3C	40114	14B	40155	3C
40033	14B	40074	20E	40115	21A	40156	5F
40034	14B	40075	20D	40116	22A	40157	5D
40035	14B	40076	2C	40117	20E	40158	65D
40036	14B	40077	9A	40118	9E	40159	66C
40037	14B	40078	2C	40119	14B	40160	14B
40038	14B	40079	3C	40120	19B	40161	14B
40039	14C	40080	3C	40121	6C	40162	20G
40040	22B	40081	1A	40122	5D	40163	22A
40041	11A	40082	19B	40123	6G	40164	22A

40165	15D	40396	6K	40513	17A	40588	27D
40166	14B	40401	35C	40518	16D	40589	6K
40167	14B	40402	18A	40519	17B	40590	67C
40168	21A	40404	17A	40520	17D	40592	67B
40169	20A	40405	9F	40521	20C	40593	67B
40170	68B	40407	17A	40522	8E	40594	67A
40171	86K	40409	18C	40523	22B	40595	67A
40172	3C	40410	35C	40524	10B	40596	67A
40173	11E	40411	19A	40525	17B	40597	67B
40174	22A	40412	2E	40526	17B	40598	67A
40175	21A	40413	2B	40527	5A	40599	67A
40176	65D	40414	20F	40528	2B	40600	68C
40177	65D	40416	17A	40529	5A	40601	71G
40178	16A	40418	17A	40531	3C	40602	68A
40179	20D	40419	16A	40534	2E	40603	61A
40180	3C	40420	2E	40535	16A	40604	67A
40181	20C	40421	2E	40536	35C	40605	67B
40182	15C	40422	20F	40537	18C	40606	67D
40183	20G	40423	22B	40538	19B	40607	67D
40184	20G	40425	5A	40539	9A	40608	67D
40185	65D	40426	22A	40540	16A	40609	67D
40186	65D	40432	17B	40541	15C	40610	67C
40187	65D	40433	9D	40542	15C	40611	68C
40188	65D	40434	10C	40543	15C	40612	67B
40189	65D	40436	17B	40547	14B	40613	68A
40190	27C	40438	2B	40548	35C	40614	68B
40191	27C	40439	21B	40550	16A	40615	68A
40192	27C	40443	5C	40551	15D	40616	68C
40193	20C	40444	20A	40552	16A	40617	67B
40194	27C	40447	2B	40553	16A	40618	67B
40195	27C	40448	12A	40556	18C	40619	67B
40196	27C	40450	10C	40557	18C	40620	67A
40197	27C	40452	16A	40559	35C	40621	67A
40198	27C	40453	17B	40560	16A	40622	61A
40199	27C	40454	16D	40562	20E	40623	68C
40200	66B	40455	20E	40563	71H	40624	67D
40201	5D	40458	16A	40564	71H	40625	67D
40202	2B	40461	5C	40565	10B	40626	67D
40203	8E	40463	21B	40566	67B	40627	67A
40204	1A	40464	2E	40567	35C	40628	6K
40205	5D	40472	18C	40568	71G	40629	6K
40206	1A	40480	20D	40569	71G	40630	20D
40207	6G	40482	35C	40570	67B	40631	10B
40208	6G	40484	20F	40571	67B	40632	20G
40209	6C	40485	15C	40572	67B	40633	17B
40322	5C	40486	21A	40573	67B	40634	71H
40323	20A	40487	19B	40574	67C	40635	10C
40324	6A	40489	20E	40575	67C	40636	67A
40326	17A	40491	18C	40576	68B	40637	67A
40332	5A	40493	16A	40577	68B	40638	67C
40337	18C	40495	6K	40578	67D	40640	67C
40351	20A	40499	17D	40579	67D	40641	67A
40353	15A	40501	3C	40580	6K	40642	67A
40356	12A	40502	18C	40581	27A	40643	67B
40359	18C	40503	18C	40582	27A	40644	67B
40362	11E	40504	16A	40583	8E	40645	67B
40364	17B	40505	71H	40584	27A	40646	5C
40377	6A	40507	5C	40585	26C	40647	67C
40383	17A	40509	71H	40586	26C	40648	67C
40395	17B	40511	21A	40587	27D	40649	67A

40650	61A	40906	67A	41065	11E	41125	63A
40651	67A	40907	17A	41066	9E	41126	65B
40652	12A	40908	67A	41067	20E	41127	68C
40653	2E	40909	67A	41068	20A	41128	65B
40654	11B	40910	9E	41069	17A	41129	68A
40655	9D	40911	64C	41070	15D	41130	64D
40656	12D	40912	68B	41071	15D	41131	66A
40657	2E	40913	63B	41072	19B	41132	67C
40658	6A	40914	67A	41073	21B	41133	67C
40659	5A	40915	67A	41074	14B	41134	61B
40660	5A	40916	66A	41075	15C	41135	68B
40661	67B	40917	21B	41076	5A	41136	11E
40662	67B	40918	65B	41077	14B	41137	20A
40663	67B	40919	67A	41078	22B	41138	67C
40664	67C	40920	67C	41079	19B	41139	68A
40665	67B	40921	63A	41080	20E	41140	22A
40666	67B	40922	63A	41081	11E	41141	68A
40667	67D	40923	63A	41082	16A	41142	68A
40668	67D	40924	63B	41083	14B	41143	17A
40669	67D	40925	6G	41084	17A	41144	15D
40670	67C	40926	35C	41085	26C	41145	64D
40671	6K	40927	17A	41086	6G	41146	68A
40672	1C	40928	21A	41087	20A	41147	64D
40673	10B	40929	15D	41088	17A	41148	66D
40674	9A	40930	22B	41089	15B	41149	66D
40675	6K	40931	14B	41090	3E	41150	6G
40676	2B	40932	14B	41091	15D	41151	8E
40677	26C	40933	3E	41092	68C	41152	8E
40678	5C	40934	17A	41093	6G	41153	6A
40679	6K	40935	22B	41094	15D	41154	9E
40680	24A	40936	3E	41095	15C	41155	67C
40681	24A	40937	26C	41096	16A	41156	21B
40682	26A	40938	63B	41097	22B	41157	6A
40683	8E	40939	63C	41098	35C	41158	6A
40684	27D			41099	68C	41159	9A
40685	26C			41100	24E	41160	5A
40686	67B	41021	16A	41101	27E	41161	9E
40687	67B	41025	22B	41102	27C	41162	2A
40688	67B	41028	22A	41103	26C	41163	6A
40689	67B	41038	15D	41104	35C	41164	6A
40690	26C	41044	15D	41105	2A	41165	2A
40691	26A	41045	11E	41106	6A	41166	6A
40692	9D	41046	21B	41107	11E	41167	5A
40693	9A	41047	22B	41108	6A	41168	9A
40694	12D	41048	15D	41109	68B	41169	6A
40695	12D	41049	17D	41110	67B	41170	8E
40696	71G	41050	14B	41111	6G	41171	68B
40697	71G	41051	14B	41112	9E	41172	2A
40698	71G	41052	9E	41113	9A	41173	9E
40699	12A	41053	15B	41114	6G	41174	2A
40700	71G	41054	14B	41115	6J	41175	68B
40726	19C	41055	35C	41116	8E	41176	61B
40728	19A	41056	20A	41117	21B	41177	64C
40743	15D	41057	20E	41118	8E	41178	64C
40900	16A	41058	22B	41119	6G	41179	68B
40901	64D	41059	15B	41120	6A	41180	21A
40902	68B	41060	17A	41121	6A	41181	16A
40903	64D	41061	14B	41122	2A	41182	66D
40904	64D	41062	19B	41123	6G	41183	67C
40905	67A	41063	19B	41124	6G	41184	61B
		41064	21B				

41185	27E	41245	19B	41305	75E	41739	20B
41186	27C	41246	19B	41306	75E	41747	17A
41187	24E	41247	17B	41307	75E	41748	22B
41188	35C	41248	14B	41308	73E	41749	18D
41189	35C	41249	14B	41309	73E	41752	18D
41190	19A	41250	25A	41310	73E	41753	18D
41191	19A	41251	25A	41311	73E	41754	17A
41192	15B	41252	25A	41312	73E	41763	18D
41193	27E	41253	25A	41313	72A	41769	87K
41194	27C	41254	25A	41314	72A	41770	17B
41195	27C	41255	25G	41315	72A	41773	17A
41196	11E	41256	25G	41316	75G	41777	18D
41197	11E	41257	25G	41317	75G	41779	16A
41198	15D	41258	25G	41318	75F	41780	6C
41199	14B	41259	25G	41319	75F	41795	17A
41200	6H	41260	24F	41320	5A	41797	19C
41201	87K	41261	24F	41321	8B	41803	18D
41202	86K	41262	24F	41322	8B	41804	18D
41203	86K	41263	24E	41323	8B	41805	19C
41204	86K	41264	24E	41324	5A	41811	20B
41205	20G	41265	20E	41325	20F	41813	18C
41206	20G	41266	20E	41326	20F	41814	26G
41207	14A	41267	20A	41327	20F	41820	20F
41208	14A	41268	15C	41328	15A	41826	14A
41209	15D	41269	15D	41329	15D	41833	17A
41210	10D	41270	15D	41516	17B	41835	19C
41211	10D	41271	15D	41518	18C	41838	20B
41212	10D	41272	15D	41523	17B	41839	17B
41213	10D	41273	20C	41528	18D	41844	20D
41214	10D	41274	20C	41529	18D	41846	18C
41215	10D	41275	1E	41530	22B	41847	17A
41216	10D	41276	6K	41531	18C	41853	6C
41217	11B	41277	15A	41532	18C	41855	20F
41218	2E	41278	2A	41533	22B	41857	19A
41219	2E	41279	3C	41534	18D	41859	20B
41220	1C	41280	24F	41535	17A	41860	87K
41221	11B	41281	24F	41536	17B	41865	17B
41222	1E	41282	24F	41537	22B	41869	20B
41223	6H	41283	27B	41660	19C	41875	17D
41224	6K	41284	27B	41661	20D	41878	17B
41225	3B	41285	10E	41664	14B	41879	21A
41226	3C	41286	10E	41666	20F	41885	16D
41227	2C	41287	6H	41671	14B	41889	17A
41228	2C	41288	10E	41672	14C	41900	11E
41229	5A	41289	10E	41682	16A	41901	11E
41230	6H	41290	73A	41686	16A	41902	11E
41231	6K	41291	73A	41695	17A	41903	11E
41232	6G	41292	73A	41699	87K	41904	11E
41233	6H	41293	71A	41702	26G	41905	9A
41234	2B	41294	73A	41706	22A	41906	9A
41235	2B	41295	73A	41708	18D	41907	9A
41236	2B	41296	73A	41710	18D	41908	1C
41237	2B	41297	73A	41711	18D	41909	1C
41238	2B	41298	73B	41712	14A	41911	18A
41239	2B	41299	73B	41713	14B	41922	16A
41240	71G	41300	73B	41720	22B	41928	33A
41241	71G	41301	73B	41724	14B	41930	33A
41242	71G	41302	73B	41725	84G	41936	33B
41243	71G	41303	71A	41726	17A	41938	15C
41244	6K	41304	71A	41734	6C	41939	33A

41940	16D	42069	74B	42129	66C	42189	25F
41941	33A	42070	74B	42130	63A	42190	67A
41942	33A	42071	74B	42131	67C	42191	67A
41943	16D	42072	74B	42132	14C	42192	67A
41944	33C	42073	74C	42133	14B	42193	67A
41945	33B	42074	74C	42134	14C	42194	67A
41946	33B	42075	74C	42135	11E	42195	67A
41947	16D	42076	74C	42136	11E	42196	67A
41948	33A	42077	74C	42137	15C	42197	67C
41949	33B	42078	74C	42138	14B	42198	63B
41950	33B	42079	74C	42139	14B	42199	63B
41951	33A	42080	73B	42140	16A	42200	66B
41952	33B	42081	73B	42141	21A	42201	67C
41961	16D	42082	73B	42142	64D	42202	67C
41966	15A	42083	50E	42143	66A	42203	66B
41967	33B	42084	51A	42144	66A	42204	64D
41969	33B	42085	52B	42145	64D	42205	63A
41970	33B	42086	75A	42146	16A	42206	65B
41971	20F	42087	75A	42147	24D	42207	65B
41972	20F	42088	75A	42148	24E	42208	66B
41973	20F	42089	73A	42149	25E	42209	67D
41974	20F	42090	73A	42150	25E	42210	67D
41975	33A	42091	73A	42151	25E	42211	67D
41976	33A	42092	75E	42152	25D	42212	67D
41977	33A	42093	75E	42153	24A	42213	68D
41978	33A	42094	74A	42154	24D	42214	68D
41980	33A	42095	74A	42155	1E	42215	68D
41981	33A	42096	74A	42156	6H	42216	66A
41982	33B	42097	74A	42157	6H	42217	64D
41983	33A	42098	74A	42158	24C	42218	33B
41984	33A	42099	75F	42159	1C	42219	33B
41985	33A	42100	75F	42160	17A	42220	33B
41986	33A	42101	75F	42161	14C	42221	33B
41987	33A	42102	75F	42162	64D	42222	33B
41988	33A	42103	75A	42163	64D	42223	33B
41989	33A	42104	75A	42164	66C	42224	33B
41990	33C	42105	75A	42165	66C	42225	33B
41991	33A	42106	75A	42166	66C	42226	33A
41992	33A	42107	25F	42167	66A	42227	33A
41993	33B	42108	25F	42168	66A	42228	16A
		42109	25F	42169	66A	42229	67A
42050	21B	42110	25F	42170	66A	42230	33C
42051	14B	42111	25F	42171	66A	42231	33A
42052	20E	42112	25F	42172	66A	42232	33A
42053	21A	42113	25F	42173	64D	42233	5D
42054	21A	42114	25F	42174	17A	42234	5D
42055	66A	42115	25F	42175	66D	42235	5D
42056	66A	42116	25F	42176	66D	42236	5D
42057	66A	42117	1A	42177	64D	42237	14B
42058	66A	42118	1A	42178	1C	42238	66A
42059	66A	42119	1C	42179	11B	42239	66A
42060	66A	42120	1C	42180	27D	42240	66A
42061	1E	42121	1C	42181	17A	42241	66A
42062	1E	42122	67A	42182	15C	42242	66A
42063	5D	42123	67A	42183	15C	42243	66A
42064	9E	42124	67A	42184	16A	42244	66A
42065	9E	42125	66B	42185	16A	42245	66A
42066	74B	42126	66B	42186	21B	42246	66A
42067	74B	42127	66B	42187	24B	42247	5E
42068	74B	42128	66C	42188	25F	42248	33A

42249	33A	42309	5C	42369	9C	42429	11A
42250	33A	42310	25B	42370	9D	42430	9A
42251	33A	42311	25B	42371	9D	42431	5D
42252	33A	42312	25B	42372	11B	42432	11A
42253	33A	42313	11C	42373	16A	42433	24A
42254	33A	42314	11C	42374	33A	42434	24C
42255	33A	42315	6A	42375	5D	42435	24C
42256	33A	42316	1A	42376	11B	42436	25C
42257	33A	42317	11C	42377	20E	42437	24A
42258	6H	42318	5A	42378	5D	42438	24B
42259	6H	42319	9C	42379	9B	42439	24D
42260	6H	42320	5C	42380	20E	42440	5D
42261	6H	42321	11B	42381	9C	42441	3D
42262	3E	42322	9A	42382	9C	42442	10A
42263	3E	42323	5D	42383	14B	42443	5D
42264	3E	42324	25D	42384	25B	42444	3C
42265	3E	42325	14B	42385	87K	42445	5D
42266	10A	42326	21A	42386	9C	42446	2A
42267	3E	42327	21A	42387	87K	42447	5A
42268	64C	42328	33A	42388	87K	42448	8E
42269	64C	42329	14B	42389	1C	42449	5D
42270	64C	42330	15C	42390	87K	42450	6A
42271	64C	42331	15C	42391	5C	42451	6A
42272	64C	42332	9B	42392	11B	42452	9E
42273	64C	42333	16A	42393	11B	42453	10A
42274	66A	42334	14C	42394	87K	42454	10A
42275	66A	42335	14C	42395	11B	42455	6A
42276	66A	42336	17B	42396	11D	42456	10A
42277	66A	42337	21A	42397	9A	42457	11C
42278	26A	42338	21B	42398	9A	42458	5D
42279	26A	42339	16A	42399	9A	42459	8A
42280	26A	42340	17A	42400	66A	42460	6H
42281	26A	42341	14C	42401	11B	42461	9A
42282	26A	42342	17A	42402	11B	42462	9A
42283	26A	42343	5D	42403	11D	42463	9B
42284	26A	42344	5D	42404	11D	42464	11C
42285	26A	42345	5C	42405	25D	42465	10A
42286	26A	42346	5C	42406	25D	42466	9E
42287	26A	42347	5C	42407	25D	42467	9A
42288	26A	42348	5D	42408	25B	42468	5F
42289	26A	42349	5D	42409	25B	42469	9E
42290	26A	42350	9A	42410	25B	42470	3D
42291	27C	42351	9A	42411	25D	42471	5E
42292	27C	42352	9B	42412	25B	42472	26C
42293	27C	42353	9B	42413	25B	42473	26D
42294	24A	42354	9B	42414	25B	42474	26D
42295	24A	42355	9C	42415	66D	42475	24B
42296	24C	42356	9C	42416	66D	42476	26D
42297	27D	42357	9C	42417	66D	42477	25C
42298	24C	42358	5F	42418	66D	42478	9A
42299	27D	42359	11B	42419	66D	42479	8E
42300	14C	42360	9C	42420	66D	42480	24C
42301	11C	42361	16A	42421	66D	42481	24C
42302	14C	42362	9C	42422	66D	42482	3C
42303	5D	42363	9C	42423	66D	42483	24D
42304	1C	42364	5D	42424	11D	42484	24D
42305	87K	42365	9D	42425	6A	42485	24D
42306	9D	42366	9D	42426	8A	42486	26A
42307	87K	42367	9D	42427	9A	42487	2A
42308	9A	42368	9D	42428	11A	42488	3C

42489	3D	42554	27D	42614	27D	42674	3E
42490	24D	42555	24B	42615	2A	42675	5D
42491	24C	42556	24C	42616	3D	42676	9E
42492	24C	42557	27D	42617	6H	42677	5A
42493	11B	42558	24D	42618	26A	42678	33A
42494	5D	42559	24D	42619	26E	42679	33A
42500	33C	42560	10C	42620	26E	42680	16A
42501	33C	42561	10C	42621	26A	42681	33A
42502	33C	42562	3C	42622	26A	42682	20E
42503	33C	42563	10A	42623	26A	42683	9E
42504	33C	42564	8A	42624	26A	42684	33A
42505	33C	42565	26C	42625	26A	42685	21A
42506	33C	42566	1E	42626	26A	42686	16A
42507	33C	42567	5D	42627	3C	42687	33A
42508	33C	42568	6A	42628	6H	42688	66A
42509	33C	42569	27D	42629	26D	42689	66A
42510	33C	42570	8A	42630	26A	42690	66A
42511	33C	42571	11B	42631	27D	42691	66A
42512	33C	42572	10A	42632	27D	42692	66A
42513	33C	42573	11A	42633	26C	42693	66A
42514	33C	42574	10C	42634	24A	42694	66A
42515	33C	42575	9A	42635	26A	42695	66A
42516	33C	42576	2A	42636	24E	42696	66A
42517	33C	42577	2A	42637	24E	42697	66D
42518	33C	42578	3D	42638	24E	42698	66A
42519	33C	42579	3E	42639	25E	42699	66A
42520	33C	42580	9A	42640	27D	42700	25G
42521	33C	42581	11B	42641	27D	42701	26A
42522	33C	42582	1E	42642	27D	42702	26A
42523	33C	42583	8A	42643	24A	42703	26A
42524	33C	42584	1E	42644	27D	42704	26A
42525	33C	42585	2A	42645	26B	42705	26A
42526	33C	42586	3C	42646	26B	42706	24B
42527	33C	42587	6A	42647	26B	42707	26A
42528	33C	42588	6H	42648	26B	42708	26A
42529	33C	42589	1C	42649	26E	42709	26A
42530	33C	42590	5D	42650	26E	42710	26A
42531	33C	42591	1E	42651	26E	42711	26A
42532	33A	42592	27D	42652	26C	42712	25G
42533	33A	42593	5D	42653	26C	42713	26A
42534	33A	42594	9A	42654	26C	42714	26A
42535	33A	42595	6A	42655	26C	42715	26A
42536	33A	42596	8A	42656	26C	42716	24A
42537	27D	42597	8A	42657	26C	42717	24A
42538	3E	42598	1C	42658	3D	42718	24A
42539	10A	42599	9A	42659	1E	42719	25G
42540	6A	42600	1E	42660	6A	42720	68A
42541	2A	42601	11A	42661	24A	42721	26B
42542	9A	42602	8A	42662	10C	42722	26B
42543	5D	42603	5D	42663	5D	42723	26B
42544	11A	42604	3C	42664	8E	42724	26B
42545	26C	42605	5D	42665	5F	42725	26B
42546	24B	42606	8B	42666	1E	42726	27B
42547	24B	42607	8B	42667	1E	42727	27B
42548	24A	42608	9A	42668	5D	42728	27B
42549	24A	42609	5D	42669	1E	42729	24A
42550	26A	42610	10A	42670	5D	42730	26B
42551	26F	42611	5E	42671	5D	42731	25G
42552	3D	42612	8A	42672	5D	42732	27B
42553	25C	42613	11C	42673	2A	42733	24B

42734	26B	42794	14A	42854	2B	42914	67A
42735	66C	42795	20A	42855	14A	42915	68B
42736	65F	42796	24B	42856	5B	42916	67A
42737	65F	42797	20A	42857	21A	42917	67A
42738	63C	42798	20A	42858	9A	42918	68B
42739	67C	42799	17B	42859	9B	42919	68B
42740	66C	42800	63C	42860	26B	42920	5B
42741	66C	42801	63C	42861	25B	42921	3D
42742	67D	42802	68A	42862	25B	42922	17B
42743	67B	42803	68A	42863	25B	42923	9A
42744	67B	42804	64C	42864	26B	42924	9A
42745	67B	42805	67C	42865	25G	42925	9A
42746	65B	42806	67A	42866	25B	42926	5B
42747	1A	42807	24F	42867	24F	42927	67C
42748	68A	42808	67C	42868	26B	42928	11E
42749	68C	42809	67C	42869	24A	42929	3A
42750	26A	42810	5B	42870	1A	42930	9A
42751	68A	42811	5B	42871	26A	42931	1A
42752	68A	42812	1A	42872	17A	42932	2B
42753	26B	42813	2B	42873	17D	42933	2B
42754	17B	42814	9A	42874	17D	42934	9B
42755	26B	42815	35C	42875	68A	42935	9A
42756	17B	42816	20A	42876	68A	42936	9A
42757	68A	42817	2B	42877	68A	42937	9A
42758	21A	42818	21A	42878	3D	42938	9A
42759	14A	42819	26B	42879	67C	42939	5B
42760	17D	42820	26A	42880	66C	42940	1A
42761	17B	42821	24B	42881	68A	42941	9A
42762	20E	42822	21A	42882	68A	42942	9D
42763	17B	42823	16A	42883	68A	42943	9D
42764	21A	42824	21A	42884	68A	42944	2B
42765	24F	42825	21A	42885	1A	42945	6B
42766	26A	42826	17B	42886	9A	42946	3D
42767	17B	42827	21A	42887	9A	42947	3D
42768	17D	42828	24B	42888	2B	42948	3D
42769	16A	42829	21A	42889	9A	42949	8E
42770	20G	42830	64C	42890	17B	42950	5B
42771	14A	42831	68A	42891	2B	42951	3D
42772	9A	42832	68A	42892	8C	42952	5B
42773	9B	42833	68A	42893	11E	42953	6C
42774	14A	42834	68A	42894	5B	42954	3D
42775	9F	42835	68A	42895	11E	42955	5B
42776	9A	42836	68A	42896	17B	42956	5B
42777	2B	42837	68A	42897	17A	42957	3D
42778	9A	42838	26B	42898	24B	42958	3D
42779	3A	42839	14A	42899	68A	42959	6B
42780	68A	42840	24F	42900	21A	42960	9A
42781	2B	42841	24F	42901	26A	42961	6C
42782	3D	42842	24F	42902	17D	42962	5B
42783	2B	42843	26B	42903	21A	42963	3D
42784	20G	42844	24F	42904	19A	42964	6C
42785	5B	42845	25B	42905	68A	42965	5B
42786	8C	42846	17B	42906	68A	42966	3D
42787	1A	42847	17A	42907	68A	42967	6C
42788	9F	42848	9A	42908	68B	42968	5B
42789	26A	42849	8C	42909	68B	42969	6C
42790	21A	42850	66C	42910	67B	42970	6C
42791	20A	42851	2B	42911	67D	42971	6B
42792	35C	42852	2B	42912	67B	42972	5B
42793	68A	42853	3A	42913	68A	42973	6C

42974	3D	43048	17A	43108	35A	43185	17A
42975	6B	43049	51D	43109	31D	43186	21C
42976	6B	43050	51D	43110	31D	43187	5B
42977	6C	43051	51D	43111	31D	43188	17B
42978	5B	43052	50C	43112	20F	43189	5B
42979	9A	43053	53A	43113	20F	43191	17A
42980	5B	43054	51D	43114	19A	43192	16A
42981	6C	43055	51C	43115	19A	43193	17B
42982	6B	43056	51A	43116	20A	43194	71H
42983	5B	43057	51A	43117	20A	43200	17A
42984	5B	43058	35A	43118	16A	43201	21A
		43059	35A	43119	16A	43203	21B
43000	1D	43060	35A	43120	14A	43204	71H
43001	1E	43061	35A	43121	14A	43205	15C
43002	1E	43062	35A	43122	53A	43207	5B
43003	1E	43063	35A	43123	50C	43208	19C
43004	12D	43064	35C	43124	53A	43210	21A
43005	1E	43065	35A	43125	52B	43211	18C
43006	12D	43066	35A	43126	52B	43212	18C
43007	12D	43067	35A	43127	34E	43213	22B
43008	12D	43068	35A	43128	52B	43214	21A
43009	12D	43069	53A	43129	52B	43216	71H
43010	17A	43070	52B	43130	53A	43218	71H
43011	2B	43071	51A	43131	53A	43219	18C
43012	22A	43072	51D	43132	65A	43222	15D
43013	21A	43073	51D	43133	65A	43223	21A
43014	20B	43074	51D	43134	65A	43224	18D
43015	53A	43075	51A	43135	65A	43225	19A
43016	52B	43076	53A	43136	65A	43226	17A
43017	71G	43077	53A	43137	65A	43228	71H
43018	16A	43078	53A	43138	65A	43231	3E
43019	16A	43079	53A	43139	68E	43232	15C
43020	1D	43080	35A	43140	64E	43233	20C
43021	1D	43081	35A	43141	64E	43234	18D
43022	1D	43082	35A	43142	31D	43235	18B
43023	2B	43083	35A	43143	31D	43237	8B
43024	1D	43084	35B	43144	31D	43239	16D
43025	10E	43085	35A	43145	32G	43240	16A
43026	10E	43086	35A	43146	32G	43241	19A
43027	17A	43087	35A	43147	32G	43242	16C
43028	10E	43088	35A	43148	32G	43243	19C
43029	10E	43089	34E	43149	32G	43244	17B
43030	52B	43090	31D	43150	32G	43245	14C
43031	17A	43091	31D	43151	32G	43246	21A
43032	19A	43092	31D	43152	32G	43247	17B
43033	16A	43093	31D	43153	32G	43248	71H
43034	11E	43094	31A	43154	32G	43249	16A
43035	11E	43095	31D	43155	32G	43250	20C
43036	71G	43096	50C	43156	32F	43251	18A
43037	19C	43097	50C	43157		43252	18D
43038	53A	43098	50C	43158		43253	18B
43039	20A	43099	53A	43159		43254	18B
43040	16A	43100	53A	43160		43256	17B
43041	19A	43101	51D	43161		43257	20F
43042	19A	43102	53A	43173	17A	43258	22B
43043	52B	43103	53A	43174	15D	43259	17A
43044	20B	43104	31D	43178	20E	43261	14A
43045	15C	43105	31D	43180	19C	43263	21B
43046	22A	43106	31D	43181	19C	43266	18B
43047	22A	43107	35A	43183	15C	43267	20B

43268	9D	43361	17A	43494	16D	43623	17B
43271	9D	43364	17A	43496	17A	43624	21A
43273	17D	43367	15A	43497	20D	43627	21A
43274	9D	43368	17A	43499	18A	43629	15D
43275	9A	43369	16A	43502	3C	43630	26G
43277	85C	43370	17D	43506	22B	43631	18A
43278	9D	43371	16A	43507	21A	43633	8B
43281	9B	43373	22B	43509	20D	43634	16D
43282	8B	43374	21A	43510	21A	43636	19A
43283	8B	43378	16A	43514	20D	43637	16A
43284	21A	43379	17A	43515	18D	43638	26G
43286	17B	43381	21A	43520	21D	43639	20D
43287	16C	43386	18D	43521	21B	43644	21A
43290	17D	43387	9D	43522	16D	43645	22B
43292	18D	43388	17B	43523	21A	43650	18A
43293	11E	43389	8B	43524	18D	43651	35C
43294	18D	43392	20B	43529	16D	43652	17B
43295	20F	43394	84G	43531	15A	43653	15C
43296	9D	43395	17B	43538	35C	43656	20D
43298	18D	43396	6K	43540	21A	43657	8B
43299	17A	43398	8B	43544	21A	43658	17A
43300	16A	43399	16A	43546	18D	43660	19C
43301	20E	43400	14A	43548	17A	43661	19A
43305	18A	43401	16A	43550	17A	43662	19A
43306	17B	43402	17A	43553	20C	43664	19C
43307	14A	43405	18A	43558	16A	43665	15D
43308	3D	43406	17B	43562	9D	43667	21C
43309	18A	43410	3C	43565	21A	43668	21A
43310	18D	43411	15C	43568	21D	43669	19C
43312	17B	43419	71H	43570	84G	43673	21A
43313	14A	43427	22A	43572	17A	43674	21A
43314	8B	43428	15D	43574	17B	43675	21B
43315	17A	43429	17C	43575	18D	43676	15C
43317	18B	43431	16D	43578	17A	43678	20B
43318	17A	43433	21A	43579	20B	43679	84G
43321	16A	43435	21A	43580	18B	43680	21A
43323	17A	43436	22A	43581	84G	43681	20B
43324	17A	43440	14A	43583	21B	43682	17C
43325	19C	43441	21A	43584	17A	43683	19A
43326	15C	43443	21A	43585	20G	43684	21A
43327	17B	43444	22A	43586	20G	43686	20E
43329	8B	43446	20C	43587	19C	43687	21B
43330	5B	43448	14A	43593	22A	43690	21A
43331	18B	43449	20B	43594	21A	43693	21A
43332	20C	43453	18A	43595	19A	43698	21A
43333	15C	43454	15D	43596	16C	43705	20B
43334	19A	43457	9A	43598	17A	43709	17B
43335	19A	43459	17A	43599	18A	43710	15C
43336	21A	43462	22A	43600	84G	43711	16A
43337	22B	43463	19A	43604	19A	43712	22A
43339	21A	43464	22A	43605	18D	43714	20D
43340	17B	43468	16C	43607	19A	43715	19A
43341	19B	43469	17A	43608	17B	43717	9A
43342	17D	43474	15D	43612	26G	43721	15D
43344	22B	43476	20B	43615	8B	43723	18C
43351	20E	43482	17A	43618	8B	43724	17D
43355	21B	43484	21A	43619	17B	43727	16D
43356	71H	43490	21A	43620	21A	43728	15C
43357	8B	43491	85C	43621	85C	43729	16A
43359	21B			43622	18C	43731	19A

43734	22A	43826	18A	43890	11E	43950	19C
43735	17A	43828	18A	43891	21A	43951	21A
43737	20B	43829	15C	43892	17B	43952	27D
43742	20E	43832	18A	43893	20F	43953	22A
43745	17A	43833	18A	43894	17C	43954	16A
43748	15C	43835	17C	43895	16C	43955	17A
43749	19A	43836	9F	43896	16A	43956	16A
43750	17A	43837	22A	43897	24D	43957	35C
43751	18A	43838	17A	43898	15B	43958	16A
43753	15C	43839	17A	43899	67A	43959	18C
43754	22B	43840	17A	43900	18D	43960	20F
43755	19A	43841	1E	43901	14A	43961	17A
43756	26G	43842	9D	43902	68A	43962	16A
43757	84G	43843	21A	43903	16C	43963	21A
43759	17D	43844	19A	43904	11E	43964	14B
43760	84G	43845	21A	43905	14A	43965	17B
43762	21A	43846	22B	43906	20C	43966	18B
43763	17A	43847	17A	43907	16C	43967	15D
43766	15D	43848	65B	43908	9E	43968	20A
43767	18A	43849	65B	43909	21A	43969	18A
43770	20E	43850	18B	43910	15D	43970	16C
43771	18C	43851	20B	43911	21A	43971	15D
43773	16C	43852	20D	43912	21A	43972	16A
43775	19A	43853	22A	43913	20F	43973	68A
43776	17D	43854	35C	43914	18D	43974	18A
43778	18A	43855	21A	43915	5D	43975	15A
43779	16C	43856	15A	43916	17B	43976	17B
43781	20B	43857	18D	43917	18A	43977	15B
43782	14C	43858	21A	43918	17D	43978	22B
43784	20F	43859	17A	43919	17B	43979	18A
43785	15D	43860	18B	43920	18D	43980	35C
43786	3C	43861	15A	43921	17C	43981	35C
43787	8B	43862	21A	43922	68A	43982	16A
43789	20C	43863	18D	43923	15D	43983	16D
43790	15C	43864	35C	43924	22B	43984	11E
43791	21A	43865	21A	43925	17D	43985	21A
43792	71H	43866	18B	43926	22A	43986	21A
43793	18A	43867	18B	43927	26G	43987	20B
43795	18A	43868	68A	43928	22A	43988	18A
43797	15A	43869	21A	43929	17D	43989	20B
43798	18A	43870	15C	43930	15A	43990	18A
43799	18A	43871	20B	43931	20B	43991	17A
43800	19A	43872	17C	43932	22B	43992	17D
43803	18A	43873	21D	43933	18A	43993	18D
43804	18A	43874	16D	43934	14A	43994	18A
43806	15C	43875	21A	43935	14A	43995	18A
43807	15C	43876	15D	43936	18C	43996	67A
43808	15A	43877	7A	43937	15C	43997	16C
43809	17B	43878	21A	43938	21A	43998	18B
43810	18A	43879	21A	43939	21A	43999	20F
43812	21A	43880	18B	43940	21A		
43814	19C	43881	17D	43941	21A	44000	20F
43815	17B	43882	19C	43942	20C	44001	67A
43817	18A	43883	66B	43943	18A	44002	17B
43819	18A	43884	63B	43944	20F	44003	20C
43820	18A	43885	18B	43945	9F	44004	21A
43821	18A	43886	18D	43946	21A	44005	16C
43822	85C	43887	22B	43947	14A	44006	18D
43823	18A	43888	15D	43948	17B	44007	20F
43825	18A	43889	15B	43949	21A	44008	68A

44009	68A	44069	9B	44129	18D	44189	68A
44010	18D	44070	18D	44130	18B	44190	21A
44011	63B	44071	19C	44131	16A	44191	18B
44012	18A	44072	2A	44132	16A	44192	11A
44013	19C	44073	6B	44133	18A	44193	63A
44014	18B	44074	9B	44134	17D	44194	63A
44015	19C	44075	5D	44135	22A	44195	16A
44016	68A	44076	2E	44136	18A	44196	66A
44017	17D	44077	5D	44137	21A	44197	20F
44018	17A	44078	3C	44138	21B	44198	67A
44019	25A	44079	5B	44139	16A	44199	68B
44020	19A	44080	9F	44140	16C	44200	18A
44021	16C	44081	12A	44141	20C	44201	21A
44022	26G	44082	16C	44142	17A	44202	16C
44023	21A	44083	11D	44143	17B	44203	21A
44024	17D	44084	21A	44144	9F	44204	21A
44025	26G	44085	17C	44145	18A	44205	16C
44026	21A	44086	11B	44146	71H	44206	16C
44027	3B	44087	22B	44147	18D	44207	20A
44028	14A	44088	21A	44148	17C	44208	1A
44029	14A	44089	19C	44149	20G	44209	22B
44030	16A	44090	9F	44150	21A	44210	14B
44031	17A	44091	18A	44151	20D	44211	21A
44032	11E	44092	21A	44152	35C	44212	19A
44033	14A	44093	5D	44153	20B	44213	21A
44034	15C	44094	18D	44154	18D	44214	17A
44035	22B	44095	16A	44155	35C	44215	16A
44036	19C	44096	71G	44156	17C	44216	20E
44037	15A	44097	35C	44157	18A	44217	20D
44038	27E	44098	20D	44158	16A	44218	35C
44039	16A	44099	20D	44159	67A	44219	3D
44040	26G	44100	17B	44160	15C	44220	27D
44041	20F	44101	17A	44161	20C	44221	27E
44042	25D	44102	71H	44162	18C	44222	20F
44043	21D	44103	17C	44163	17D	44223	16A
44044	20A	44104	18D	44164	17A	44224	21A
44045	22B	44105	27D	44165	21A	44225	27D
44046	17D	44106	18A	44166	17B	44226	21A
44047	17B	44107	18C	44167	22B	44227	21A
44048	17B	44108	21A	44168	17D	44228	14A
44049	21A	44109	17C	44169	22A	44229	18B
44050	17D	44110	35C	44170	17B	44230	16A
44051	14A	44111	19C	44171	17B	44231	15C
44052	14B	44112	17A	44172	17D	44232	19C
44053	18C	44113	16A	44173	18B	44233	18A
44054	18C	44114	26G	44174	17D	44234	65B
44055	17B	44115	3C	44175	22B	44235	21A
44056	25D	44116	1A	44176	21A	44236	9E
44057	3E	44117	35C	44177	17A	44237	10D
44058	2A	44118	18B	44178	9F	44238	35C
44059	11B	44119	26G	44179	21A	44239	35C
44060	11A	44120	2E	44180	17C	44240	27D
44061	2E	44121	12A	44181	68A	44241	20B
44062	25D	44122	18D	44182	18D	44242	21D
44063	5E	44123	22B	44183	68A	44243	14B
44064	8E	44124	17B	44184	21A	44244	18C
44065	6B	44125	5E	44185	21A	44245	20B
44066	18D	44126	5E	44186	21D	44246	17D
44067	1C	44127	19C	44187	21A	44247	16A
44068	5D	44128	19C	44188	18B	44248	21A

44249	15A	44309	5D	44369	5D	44429	17D
44250	18A	44310	5D	44370	1C	44430	18B
44251	63A	44311	26A	44371	18A	44431	20A
44252	17C	44312	67B	44372	1D	44432	17A
44253	63A	44313	16A	44373	5D	44433	17B
44254	63A	44314	63A	44374	5D	44434	17B
44255	65B	44315	68A	44375	5D	44435	17B
44256	65B	44316	17B	44376	18A	44436	17B
44257	63A	44317	21A	44377	5D	44437	19A
44258	63A	44318	63A	44378	5D	44438	8E
44259	14A	44319	67B	44379	9B	44439	3B
44260	17C	44320	65F	44380	5D	44440	1A
44261	10D	44321	18B	44381	1A	44441	1D
44262	17D	44322	63B	44382	9D	44442	1A
44263	21A	44323	5D	44383	5D	44443	1C
44264	22B	44324	68A	44384	10D	44444	9B
44265	17B	44325	67B	44385	5D	44445	6H
44266	22A	44326	68A	44386	5E	44446	20C
44267	22A	44327	17D	44387	11B	44447	1E
44268	16C	44328	63A	44388	5D	44448	5D
44269	22A	44329	67A	44389	6G	44449	12D
44270	17B	44330	63B	44390	12A	44450	5E
44271	9A	44331	63B	44391	2E	44451	1A
44272	22B	44332	17B	44392	8E	44452	5E
44273	35C	44333	21A	44393	5D	44453	5E
44274	18C	44334	19A	44394	16D	44454	10D
44275	17B	44335	20B	44395	2A	44455	5D
44276	20G	44336	20D	44396	8E	44456	2A
44277	20F	44337	20D	44397	1A	44457	19C
44278	15B	44338	20D	44398	24D	44458	35C
44279	17C	44339	9D	44399	11A	44459	11D
44280	10E	44340	9B	44400	20E	44460	24D
44281	67B	44341	9G	44401	16A	44461	12E
44282	20G	44342	5E	44402	17A	44462	25D
44283	66A	44343	1C	44403	15C	44463	16C
44284	19A	44344	5B	44404	20A	44464	27E
44285	19A	44345	3C	44405	5D	44465	15B
44286	9F	44346	12A	44406	21A	44466	22A
44287	17A	44347	11B	44407	9F	44467	20B
44288	18C	44348	1D	44408	16A	44468	20F
44289	21A	44349	9A	44409	17A	44469	11D
44290	20C	44350	3D	44410	18C	44470	16C
44291	27D	44351	11B	44411	22A	44471	25D
44292	11D	44352	1E	44412	16A	44472	16A
44293	35C	44353	5D	44413	21A	44473	10D
44294	18C	44354	2E	44414	16A	44474	25D
44295	17B	44355	22A	44415	16D	44475	18D
44296	35C	44356	10D	44416	16D	44476	35C
44297	14A	44357	9A	44417	71H	44477	19A
44298	14A	44358	5D	44418	21A	44478	5D
44299	18D	44359	5B	44419	17A	44479	24D
44300	5E	44360	3D	44420	17A	44480	16A
44301	5B	44361	3E	44421	5D	44481	27E
44302	3D	44362	21A	44422	71G	44482	18B
44303	9A	44363	1C	44423	15C	44483	24D
44304	14A	44364	1E	44424	22A	44484	5D
44305	6H	44365	12D	44425	16A	44485	25D
44306	12C	44366	1E	44426	19A	44486	26G
44307	5F	44367	6B	44427	21A	44487	11B
44308	5D	44368	11B	44428	17B	44488	3C

20

44489	5D	44549	12E	44660	21A	44720	63A
44490	3E	44550	19A	44661	17A	44721	63A
44491	2E	44551	17B	44662	20A	44722	68A
44492	3B	44552	16C	44663	15C	44723	68A
44493	6B	44553	22A	44664	19B	44724	68A
44494	8E	44554	17C	44665	19B	44725	68A
44495	5B	44555	19A	44666	21A	44726	68A
44496	5D	44556	19A	44667	17A	44727	68A
44497	1A	44557	71G	44668	68A	44728	27C
44498	5D	44558	71G	44669	68A	44729	27C
44499	5D	44559	71G	44670	68A	44730	24E
44500	20C	44560	71G	44671	68A	44731	24E
44501	20C	44561	71G	44672	68A	44732	24E
44502	5D	44562	20B	44673	68A	44733	24E
44503	5D	44563	14B	44674	68A	44734	26A
44504	5F	44564	17D	44675	68A	44735	26A
44505	12D	44565	17A	44676	68A	44736	26A
44506	3E	44566	17A	44677	65B	44737	24E
44507	5D	44567	21D	44678	5A	44738	6G
44508	5D	44568	19A	44679	5A	44739	6G
44509	35C	44569	22A	44680	5A	44740	6G
44510	11A	44570	20B	44681	5A	44741	6G
44511	11B	44571	21A	44682	5A	44742	6G
44512	3E	44572	17C	44683	5A	44743	22A
44513	5D	44573	19A	44684	5A	44744	22A
44514	3E	44574	15A	44685	5A	44745	22A
44515	21A	44575	15A	44686	9A	44746	22A
44516	21A	44576	19C	44687	9A	44747	22A
44517	3D	44577	16A	44688	27A	44748	9A
44518	35C	44578	16A	44689	27A	44749	9A
44519	35C	44579	20G	44690	27A	44750	9A
44520	21B	44580	21A	44691	27A	44751	9A
44521	35C	44581	14A	44692	27A	44752	9A
44522	35C	44582	20A	44693	25F	44753	20A
44523	71G	44583	15C	44694	25F	44754	20A
44524	21D	44584	20B	44695	25F	44755	20A
44525	2E	44585	16A	44696	26A	44756	20A
44526	17B	44586	20D	44697	26A	44757	20A
44527	17B	44587	21D	44698	63A	44758	5A
44528	17B	44588	17D	44699	63A	44759	5A
44529	14A	44589	16C	44700	64D	44760	5A
44530	14A	44590	18D	44701	64D	44761	5A
44531	14B	44591	21A	44702	65B	44762	5A
44532	14B	44592	3E	44703	68A	44763	5A
44533	16A	44593	1E	44704	63A	44764	5A
44534	22A	44594	11B	44705	63A	44765	5A
44535	15B	44595	5B	44706	67A	44766	5A
44536	22A	44596	5D	44707	66A	44767	27A
44537	22A	44597	17B	44708	5B	44768	8A
44538	21A	44598	18B	44709	11A	44769	8A
44539	17C	44599	17B	44710	6A	44770	5A
44540	17D	44600	17B	44711	2A	44771	1E
44541	27E	44601	17A	44712	2A	44772	8A
44542	17A	44602	17A	44713	2A	44773	8A
44543	26A	44603	20D	44714	2A	44774	20A
44544	27E	44604	20D	44715	2A	44775	20A
44545	17A	44605	18B	44716	2A	44776	17A
44546	16A	44606	18D	44717	9E	44777	14B
44547	20F	44658	14B	44718	68A	44778	24E
44548	5D	44659	21A	44719	68A	44779	24E

21

44780	25B	44840	5B	44900	68A	44960	63A
44781	26B	44841	21A	44901	68A	44961	63A
44782	26B	44842	21A	44902	68A	44962	21A
44783	60A	44843	20A	44903	68A	44963	17A
44784	60A	44844	3D	44904	11A	44964	19B
44785	60A	44845	26G	44905	11A	44965	19B
44786	65B	44846	14B	44906	8A	44966	21A
44787	66A	44847	17A	44907	8A	44967	65B
44788	60A	44848	17A	44908	65A	44968	67A
44789	60A	44849	20A	44909	2A	44969	66B
44790	66A	44850	66B	44910	6A	44970	65B
44791	67B	44851	17A	44911	5B	44971	1A
44792	66A	44852	21A	44912	25F	44972	63A
44793	66A	44853	20A	44913	6H	44973	63A
44794	66A	44854	20A	44914	3A	44974	63A
44795	68A	44855	22A	44915	2A	44975	63A
44796	63A	44856	20A	44916	1E	44976	63A
44797	63A	44857	20A	44917	71G	44977	63A
44798	60A	44858	19A	44918	16A	44978	63A
44799	60A	44859	16A	44919	21A	44979	63A
44800	6B	44860	2A	44920	21A	44980	63A
44801	63A	44861	16A	44921	68A	44981	14B
44802	19A	44862	2A	44922	65B	44982	25F
44803	26G	44863	2A	44923	65B	44983	20A
44804	21A	44864	6J	44924	63A	44984	14B
44805	21A	44865	6J	44925	63A	44985	14B
44806	15C	44866	2A	44926	24E	44986	19B
44807	5B	44867	2A	44927	24E	44987	26A
44808	6G	44868	6J	44928	25A	44988	24E
44809	17A	44869	1E	44929	24E	44989	27C
44810	21A	44870	2A	44930	24E	44990	25F
44811	21B	44871	5A	44931	63A	44991	60A
44812	15C	44872	3D	44932	24A	44992	60A
44813	21A	44873	3C	44933	26A	44993	68A
44814	21A	44874	11A	44934	26A	44994	64C
44815	17A	44875	1A	44935	9A	44995	65B
44816	14B	44876	3D	44936	12A	44996	65B
44817	14B	44877	63A	44937	9A	44997	63A
44818	17A	44878	68A	44938	9E	44998	63A
44819	17A	44879	63A	44939	12A	44999	63A
44820	64A	44880	65B	44940	26A		
44821	20A	44881	65B	44941	6G	45000	2A
44822	14B	44882	68A	44942	3E	45001	6B
44823	26B	44883	68A	44943	20A	45002	2A
44824	25A	44884	68A	44944	19A	45003	2A
44825	16A	44885	63A	44945	17A	45004	11A
44826	71G	44886	68A	44946	25F	45005	8A
44827	5B	44887	27C	44947	24E	45006	5B
44828	20A	44888	21A	44948	25B	45007	68A
44829	3B	44889	26A	44949	25B	45008	66B
44830	71G	44890	26A	44950	24E	45009	66B
44831	2A	44891	26A	44951	25F	45010	67B
44832	5B	44892	11A	44952	64D	45011	65F
44833	2A	44893	26A	44953	64D	45012	60A
44834	5B	44894	26A	44954	62B	45013	65F
44835	84G	44895	26A	44955	64D	45014	2E
44836	2A	44896	25G	44956	65B	45015	3B
44837	2A	44897	3D	44957	65B	45016	63B
44838	9A	44898	68A	44958	63A	45017	11A
44839	71G	44899	68A	44959	63A	45018	60B

45019	11A	45079	25G	45139	12A	45199	10C
45020	2A	45080	25G	45140	12A	45200	24A
45021	2E	45081	68A	45141	12B	45201	26A
45022	64C	45082	68A	45142	10C	45202	26A
45023	64C	45083	68A	45143	84G	45203	26A
45024	1A	45084	63B	45144	6H	45204	25A
45025	1A	45085	66B	45145	84G	45205	24A
45026	10A	45086	64C	45146	1A	45206	24A
45027	1A	45087	64D	45147	10C	45207	25F-
45028	5B	45088	15C	45148	8B	45208	25F
45029	66B	45089	1A	45149	8B	45209	24A
45030	63A	45090	60A	45150	2A	45210	25F
45031	26G	45091	2E	45151	66B	45211	25G
45032	8B	45092	11A	45152	66B	45212	24F
45033	12A	45093	5B	45153	65B	45213	63A
45034	2A	45094	3D	45154*	5B	45214	65A
45035	8B	45095	6B	45155	5B	45215	25B
45036	66A	45096	10B	45156*	5B	45216	27A
45037	10C	45097	1A	45157*	5B	45217	8E
45038	5B	45098	60A	45158*	5B	45218	25B
45039	8A	45099	66B	45159	5B	45219	25B
45040	21A	45100	68A	45160	67A	45220	26A
45041	5B	45101	25A	45161	64C	45221	15C
45042	10C	45102	26A	45162	63A	45222	25B
45043	68A	45103	26A	45163	68A	45223	26A
45044	5B	45104	26A	45164	63A	45224	26A
45045	6J	45105	26A	45165	63A	45225	26A
45046	11B	45106	12A	45166	67A	45226	24A
45047	67A	45107	24F	45167	63A	45227	27A
45048	5B	45108	5B	45168	67A	45228	27A
45049	67A	45109	8B	45169	68B	45229	27A
45050	11A	45110	6J	45170	63A	45230	12A
45051	3E	45111	8A	45171	63A	45231	10C
45052	3D	45112	68A	45172	63A	45232	26A
45053	60A	45113	8A	45173	63A	45233	26A
45054	11A	45114	3D	45174	67A	45234	26A
45055	10C	45115	65B	45175	63A	45235	10A
45056	11A	45116	66B	45176	65B	45236	11B
45057	10C	45117	63A	45177	65B	45237	25B
45058	3D	45118	68A	45178	65B	45238	19A
45059	21A	45119	65F	45179	60A	45239	5B
45060	5B	45120	60A	45180	64A	45240	5B
45061	24A	45121	66B	45181	8A	45241	11A
45062	19A	45122	60A	45182	10C	45242	8A
45063	25G	45123	60A	45183	64C	45243	8A
45064	1A	45124	60A	45184	12A	45244	12A
45065	3D	45125	63A	45185	5B	45245	61B
45066	60A	45126	63A	45186	21A	45246	12A
45067	5B	45127	63A	45187	2A	45247	6G
45068	27A	45128	8A	45188	10C	45248	8A
45069	2E	45129	12A	45189	5B	45249	10A
45070	1E	45130	6B	45190	84G	45250	2A
45071	1E	45131	5B	45191	2E	45251	67A
45072	11A	45132	6B	45192	60A	45252	8B
45073	5B	45133	11A	45193	11A	45253	14B
45074	5B	45134	5B	45194	67A	45254	5B
45075	25G	45135	1E	45195	8B	45255	6H
45076	25G	45136	60A	45196	8B	45256	8A
45077	25A	45137	10C	45197	12A	45257	5D
45078	25G	45138	60A	45198	5B	45258	12A

45259	10C	45319	60A	45379	2A	45439	3A
45260	20A	45320	60A	45380	8A	45440	71G
45261	25A	45321	8B	45381	5D	45441	2A
45262	19A	45322	3D	45382	6J	45442	10C
45263	15C	45323	12A	45383	11B	45443	65B
45264	19B	45324	5D	45384	62B	45444	10C
45265	21A	45325	11E	45385	6A	45445	12B
45266	67B	45326	11E	45386	11B	45446	3D
45267	14B	45327	5B	45387	1A	45447	21A
45268	21A	45328	8B	45388	12A	45448	3D
45269	21A	45329	10C	45389	63A	45449	10A
45270	5B	45330	62B	45390	3E	45450	26G
45271	5B	45331	2E	45391	2A	45451	12A
45272	17A	45332	10B	45392	11A	45452	63A
45273	21A	45333	8E	45393	8A	45453	60A
45274	21A	45334	68A	45394	2A	45454	10A
45275	6B	45335	19A	45395	3C	45455	68A
45276	8A	45336	26A	45396	65F	45456	63A
45277	14B	45337	26B	45397	3D	45457	63A
45278	5D	45338	26B	45398	8A	45458	63A
45279	14B	45339	25A	45399	8A	45459	63A
45280	15C	45340	25B	45400	65A	45460	63A
45281	65A	45341	25G	45401	10C	45461	60A
45282	2A	45342	15C	45402	6A	45462	66B
45283	84G	45343	8A	45403	5B	45463	63A
45284	26G	45344	3C	45404	2A	45464	63A
45285	14B	45345	12A	45405	3B	45465	63A
45286	6B	45346	8E	45406	84G	45466	63A
45287	3B	45347	8A	45407	19A	45467	63A
45288	6B	45348	12A	45408	10A	45468	65B
45289	10A	45349	3D	45409	12A	45469	63A
45290	10C	45350	5B	45410	10C	45470	63A
45291	11B	45351	12A	45411	10C	45471	65B
45292	6J	45352	8A	45412	12A	45472	63A
45293	12A	45353	1E	45413	10A	45473	63A
45294	5B	45354	8B	45414	12A	45474	63A
45295	12A	45355	65B	45415	25B	45475	63A
45296	12A	45356	65B	45416	12A	45476	60A
45297	17A	45357	63A	45417	6H	45477	60A
45298	84G	45358	63B	45418	3D	45478	60A
45299	12A	45359	63B	45419	2A	45479	60A
45300	5B	45360	60A	45420	10C	45480	65B
45301	5B	45361	60A	45421	10C	45481	65B
45302	10C	45362	67A	45422	84G	45482	65B
45303	BA	45363	68A	45423	65B	45483	63A
45304	10C	45364	68A	45424	10C	45484	66A
45305	8A	45365	63A	45425	10A	45485	66A
45306	11A	45366	63A	45426	10C	45486	66A
45307	6A	45367	61B	45427	11A	45487	65D
45308	3C	45368	12A	45428	10C	45488	63A
45309	63A	45369	5B	45429	2A	45489	67A
45310	3A	45370	3D	45430	2A	45490	67A
45311	12A	45371	12A	45431	2A	45491	67A
45312	10C	45372	2A	45432	68A	45492	63A
45313	10A	45373	10C	45433	66B	45493	2A
45314	1E	45374	1A	45434	5A	45494	12A
45315	6B	45375	2A	45435	25A	45495	8B
45316	1E	45376	8A	45436	64A	45496	63A
45317	11B	45377	10C	45437	3B	45497	63A
45318	64A	45378	10C	45438	12A	45498	66B

45499	65B	45559*	10C
45500*	9A	45560*	67A
45501*	9A	45561*	22A
45502*	5A	45562*	20A
45503*	5A	45563*	10C
45504*	5A	45564*	68A
45505*	12A	45565*	20A
45506*	5A	45566*	20A
45507*	5A	45567*	8A
45508	12A	45568*	20A
45509*	17A	45569*	20A
45510	5A	45570*	17A
45511*	1A	45571*	24E
45512*	12A	45572*	22A
45513*	5A	45573*	20A
45514*	1B	45574*	24E
45515*	8A	45575*	63A
45516*	12A	45576*	67A
45517*	12A	45577*	68A
45518*	12A	45578*	12A
45519*	10B	45579*	66A
45520*	9A	45580*	68A
45521*	8B	45581*	68A
45522*	1B	45582*	68A
45523*	1B	45583*	66A
45524*	12A	45584*	66A
45525*	5A	45585*	17A
45526*	12A	45586*	5A
45527*	8A	45587*	9A
45528	5A	45588*	24E
45529*	5A	45589*	20A
45530*	9A	45590*	19B
45531*	8A	45591*	1A
45532*	1B	45592*	5A
45533*	8A	45593*	12A
45534*	8A	45594*	19B
45535*	5A	45595*	9A
45536*	9A	45596*	8A
45537*	12A	45597*	20A
45538*	8A	45598*	14B
45539*	9A	45599*	12A
45540*	9A	45600*	10C
45541*	12A	45601*	1B
45542	12A	45602*	22A
45543*	5A	45603*	9A
45544	10B	45604*	5A
45545*	1B	45605*	20A
45546*	1A	45606*	1A
45547	5A	45607*	19B
45548*	5A	45608*	20A
45549	12A	45609*	19B
45550	12A	45610*	17A
45551	12A	45611*	16A
45552*	12A	45612*	14B
45553*	9A	45613*	8A
45554*	16A	45614*	14B
45555*	9A	45615*	14B
45556*	9A	45616*	14B
45557*	14B	45617*	9A
45558*	10C	45618*	9E

45619*	20A	45679*	22A
45620*	16A	45680*	9A
45621*	19B	45681*	8A
45622*	9E	45682*	22A
45623*	8A	45683*	19B
45624*	9A	45684*	5A
45625*	1A	45685*	22A
45626*	17A	45686*	5A
45627*	14B	45687*	12A
45628*	9E	45688*	3B
45629*	9E	45689*	5A
45630*	12A	45690*	22A
45631*	9A	45691*	66A
45632*	9A	45692*	66A
45633*	10B	45693*	67A
45634*	5A	45694*	20A
45635*	26A	45695*	27A
45636*	16A	45696*	17A
45637*	8A	45697*	24E
45638*	9A	45698*	27A
45639*	20A	45699*	22A
45640*	16A	45700*	26A
45641*	14B	45701*	26A
45642*	26A	45702*	26A
45643*	67A	45703*	3B
45644*	63A	45704*	25G
45645*	67A	45705*	25G
45646*	67A	45706*	26A
45647*	8A	45707*	24E
45648*	14B	45708*	25G
45649*	14B	45709*	9A
45650*	14B	45710*	26A
45651*	20A	45711*	25G
45652*	9E	45712*	26A
45653*	24E	45713*	68A
45654*	19B	45714*	68A
45655*	9E	45715*	68A
45656*	19B	45716*	68A
45657*	14B	45717*	27A
45658*	20A	45718*	9A
45659*	20A	45719*	26A
45660*	22A	45720*	10C
45661*	26A	45721*	8A
45662*	22A	45722*	12A
45663*	22A	45723*	9A
45664*	19B	45724*	5A
45665*	14B	45725*	19B
45666*	5A	45726*	8A
45667*	17A	45727*	68A
45668*	10C	45728*	68A
45669*	1B	45729*	68A
45670*	5A	45730*	68A
45671*	26A	45731*	68A
45672*	1B	45732*	68A
45673*	10B	45733*	3B
45674*	5A	45734*	3B
45675*	20A	45735*	1B
45676*	1B	45736*	1B
45677*	12A	45737*	3B
45678*	9A	45738*	3B

45739* 20A	46155* 5A	46251* 12A	46453 20E
45740* 9A	46156* 8A	46252* 5A	46454 17A
45741* 3B	46157* 6J	46253* 12A	46455 12C
45742* 3B	46158* 8A	46254* 12A	46456 12D
	46159* 1B	46255* 12A	46457 12D
46100* 1B	46160* 9A	46256* 1B	46458 12D
46101* 5A	46161* 5A	46257* 1B	46459 12C
46102* 66A	46162* 1B	46400 15B	46460 61A
46103* 20A	46163* 12A	46401 15B	46461 64A
46104* 66A	46164* 8A	46402 15B	46462 64A
46105* 66A	46165* 5A	46403 15B	46463 62B
46106* 8A	46166* 5A	46404 15B	46464 62B
46107* 66A	46167* 5A	46405 25C	46465 31A
46108* 20A	46168* 1B	46406 25C	46466 31A
46109* 20A	46169* 9A	46407 25C	46467 31A
46110* 5A	46170* 1B	46408 25C	46468 30E
46111* 8A	46200* 66A	46409 25C	46469 30E
46112* 6J	46201* 8A	46410 24E	46470 51F
46113* 20A	46202* 1B	46411 24E	46471 51H
46114* 9A	46203* 66A	46412 24E	46472 51F
46115* 9A	46204* 8A	46413 24E	46473 51F
46116* 1B	46205* 5A	46414 27A	46474 51H
46117* 20A	46206* 5A	46415 27A	46475 51A
46118* 5A	46207* 8A	46416 27A	46476 51H
46119* 6J	46208* 8A	46417 27A	46477 51A
46120* 9A	46209* 5A	46418 26A	46478 51H
46121* 66A	46210* 5A	46419 26A	46479 51F
46122* 9A	46211* 5A	46420 8D	46480 51A
46123* 8A	46212* 5A	46421 8D	46481 51H
46124* 8A	46220* 66A	46422 8D	46482 51F
46125* 5A	46221* 66A	46423 8D	46483 27A
46126* 1B	46222* 66A	46424 8D	46484 26A
46127* 6J	46223* 66A	46425 3A	46485 26A
46128* 5A	46224* 66A	46426 3A	46486 24E
46129* 9A	46225* 5A	46427 3D	46487 24E
46130* 5A	46226* 12A	46428 10A	46488 12D
46131* 9A	46227* 66A	46429 10B	46489 10B
46132* 20A	46228* 12A	46430 10B	46490 3A
46133* 20A	46229* 5A	46431 1A	46491 12D
46134* 5A	46230* 66A	46432 1A	46492 3D
46135* 8A	46231* 66A	46433 1A	46493 17B
46136* 12A	46232* 66A	46434 8D	46494 17B
46137* 8A	46233* 5A	46435 27A	46495 15B
46138* 5A	46234* 5A	46436 25C	46496 15B
46139* 1B	46235* 5A	46437 25C	46497 20A
46140* 5A	46236* 1B	46438 25A	46498 20A
46141* 1B	46237* 1B	46439 25A	46499 18A
46142* 1B	46238* 12A	46440 20F	46500 18A
46143* 1B	46239* 1B	46441 11E	46501 16A
46144* 8A	46240* 1B	46442 20F	46502 16A
46145* 9A	46241* 1B	46443 17A	46503
46146* 1B	46242* 1B	46444 15B	46504
46147* 1B	46243* 5A	46445 2D	46505
46148* 5A	46244* 1B	46446 2D	46506
46149* 9A	46245* 1B	46447 12D	46507
46150* 6J	46246* 5A	46448 12D	46508
46151* 5A	46247* 1B	46449 12C	46509
46152* 9A	46248* 5A	46450 19A	46510
46153* 8A	46249* 1B	46451 19A	46511
46154* 1B	46250* 1B	46452 20E	46512

46513		47202	14B	47262	33A	47322	11B
46514		47203	14A	47263	18D	47323	11B
46515		47204	14A	47264	15A	47324	6C
46516		47205	14B	47265	15A	47325	8A
46517		47206	14B	47266	5B	47326	12A
46518		47207	14A	47267	9A	47327	8E
46519		47208	14A	47268	8B	47328	33A
46520		47209	14A	47269	35C	47329	67A
46521		47210	14A	47270	35C	47330	5B
46522		47211	14A	47271	20B	47331	66A
46523		47212	14A	47272	18C	47332	66A
46524		47213	14A	47273	15A	47333	15A
46525		47214	14A	47274	15C	47334	20D
46526		47215	14A	47275	71G	47335	20D
46527		47216	14A	47276	21C	47336	26G
46601	1E	47217	14A	47277	16A	47337	12E
46604	6G	47218	14A	47278	18C	47338	5B
46616	9D	47219	14A	47279	15A	47339	11A
46620	87K	47220	14A	47280	5B	47340	12A
46643	8B	47221	14A	47281	5D	47341	9A
46654	2C	47222	20E	47282	33A	47342	1A
46666	2E	47223	15D	47283	14B	47343	9A
46680	5A	47224	14A	47284	8C	47344	5D
46683	2C	47225	14A	47285	2B	47345	9A
46701	8B	47226	14A	47286	2B	47346	9B
46712	3C	47227	14A	47287	11B	47347	9A
46727	8B	47228	14A	47288	1E	47348	1D
46757	2A	47229	14B	47289	9B	47349	1D
46899	3E	47230	87K	47290	12D	47350	1D
46900	3E	47231	17B	47291	10B	47351	33A
		47232	87K	47292	12D	47352	8B
47000	17D	47233	17B	47293	10B	47353	8A
47001	27A	47234	18A	47294	3A	47354	1B
47002	27A	47235	19A	47295	12A	47355	1C
47003	18C	47236	19A	47296	10B	47356	1B
47004	18C	47237	22B	47297	6A	47357	8A
47005		47238	19A	47298	1E	47358	1B
47006		47239	20D	47299	2E	47359	1B
47007		47240	14A	47300	33A	47360	2A
47008		47241	14B	47301	21C	47361	1A
47009		47242	14B	47302	1D	47362	8C
47160	6C	47243	14A	47303	21C	47363	3D
47161	24F	47244	14B	47304	1D	47364	10C
47162	64A	47245	14B	47305	21C	47365	10C
47163	64C	47246	14B	47306	33A	47366	10E
47164	6C	47247	18D	47307	1D	47367	2B
47165	24F	47248	14A	47308	21C	47368	6J
47166	6C	47249	20B	47309	8E	47369	9A
47167	66D	47250	17A	47310	1D	47370	5D
47168	66D	47251	14A	47311	33A	47371	6B
47169	66D	47252	15D	47312	33A	47372	6B
47180	84G	47253	17B	47313	21A	47373	8C
47181	10E	47254	20A	47314	1D	47374	6A
47182	67C	47255	20E	47315	1D	47375	6A
47183	5B	47256	87K	47316	71G	47376	8B
47184	5B	47257	17B	47317	11A	47377	12A
47190	22A	47258	87K	47318	2E	47378	2A
47191	71G	47259	87K	47319	10B	47379	2A
47200	14B	47260	14B	47320	8E	47380	5D
47201	11E	47261	14C	47321	6J	47381	11E

47382	3A	47442	15C	47503	11C	47564	1D
47383	6A	47443	20B	47504	6A	47565	21C
47384	5B	47444	10E	47505	1A	47566	35C
47385	8A	47445	5E	47506	18D	47567	25G
47386	24B	47446	15A	47507	6C	47568	25G
47387	8B	47447	17D	47508	25E	47569	25G
47388	8C	47448	20C	47509	25E	47570	25G
47389	6A	47449	17C	47510	25A	47571	25G
47390	5B	47450	5B	47511	1D	47572	25A
47391	12E	47451	10E	47512	33A	47573	25A
47392	8A	47452	1E	47513	19A	47574	26B
47393	10E	47453	10E	47514	1D	47575	24B
47394	6G	47454	18A	47515	1D	47576	24B
47395	9A	47455	18D	47516	1D	47577	26A
47396	3A	47457	17D	47517	1D	47578	26B
47397	3B	47458	33A	47518	1D	47579	26B
47398	3B	47459	17D	47519	8A	47580	25A
47399	10C	47460	17D	47520	1A	47581	20C
47400	9A	47461	17D	47521	1E	47582	25A
47401	10D	47462	20C	47522	1B	47583	26B
47402	8A	47463	20B	47523	5B	47584	26B
47403	12A	47464	17B	47524	5B	47585	26B
47404	8A	47465	71G	47525	12E	47586	26A
47405	20D	47466	5B	47526	5B	47587	5D
47406	11A	47467	1B	47527	1B	47588	5C
47407	8A	47468	11E	47528	9A	47589	20B
47408	12A	47469	11E	47529	5B	47590	5C
47409	11A	47470	11E	47530	6C	47591	8B
47410	11A	47471	11E	47531	1A	47592	C. Wks.
47411	8A	47472	5D	47532	11E	47593	12D
47412	1A	47473	3B	47533	15C	47594	2B
47413	3C	47474	1A	47534	15C	47595	5D
47414	5B	47475	1A	47535	18C	47596	5D
47415	12A	47476	7C	47536	66C	47597	8A
47416	8A	47477	87K	47537	66A	47598	5B
47417	17A	47478	87K	47538	20B	47599	5D
47418	20A	47479	87K	47539	16A	47600	6A
47419	20E	47480	87K	47540	66A	47601	9B
47420	20A	47481	87K	47541	66A	47602	5B
47421	20C	47482	1D	47542	71G	47603	8B
47422	16A	47483	1D	47543	15A	47604	12D
47423	18C	47484	33A	47544	22A	47605	11A
47424	18D	47485	17B	47545	18A	47606	5C
47425	21C	47486	1D	47546	19C	47607	22B
47426	18D	47487	8A	47547	19C	47608	5B
47427	20F	47488	1D	47548	19A	47609	5D
47428	14B	47489	8A	47549	15D	47610	5D
47429	33A	47490	1D	47550	22A	47611	19A
47430	10C	47491	1A	47551	18A	47612	2E
47431	5B	47492	1D	47552	16A	47614	12A
47432	19A	47493	1D	47554	15A	47615	6B
47433	14A	47494	1D	47555	33A	47616	5E
47434	14A	47495	1D	47556	12A	47618	12A
47435	14A	47496	71G	47557	71G	47619	22B
47436	20A	47497	1D	47558	1D	47620	22B
47437	14B	47498	8A	47559	1D	47621	35C
47438	16A	47499	1D	47560	1D	47622	35C
47439	8C	47500	1D	47561	1D	47623	16A
47440	26G	47501	1D	47562	20F	47624	19A
47441	15C	47502	21C	47563	19A	47625	18D

47626	18D	47969	18A	48050	15A	48121	17A
47627	6F	47970	18A	48053	20C	48122	1A
47628	6F	47971	18C	48054	8C	48123	20D
47629	17A	47972	18A	48055	19C	48124	15B
47630	18A	47973	18C	48056	18B	48125	18B
47631	16A	47974	15A	48057	18B	48126	20B
47632	20B	47975	18A	48060	18B	48127	9F
47633	5E	47976	18A	48061	2B	48128	15B
47634	20C	47977	15A	48062	14A	48129	1A
47635	22B	47978	18A	48063	18B	48130	20D
47636	15A	47979	18A	48064	16A	48131	15A
47637	18D	47980	18C	48065	19C	48132	14A
47638	21A	47981	18A	48067	20A	48133	15B
47639	11E	47982	15A	48069	15B	48134	9F
47640	20B	47983	18C	48070	20A	48135	9F
47641	17B	47984	18C	48073	16C	48136	16A
47642	15A	47985	18A	48074	1A	48137	16C
47643	17B	47986	18A	48075	18A	48138	16C
47644	14B	47987	18A	48076	20D	48139	16C
47645	14B	47988	18A	48077	2B	48140	19C
47646	6B	47989	18A	48078	20C	48141	15B
47647	5D	47990	18C	48079	17A	48142	8B
47648	5D	47991	18A	48080	20C	48143	15B
47649	5C	47992	18C	48081	16C	48144	18A
47650	6B	47993	18C	48082	15A	48145	20A
47651	8C	47994	15A	48083	19C	48146	20D
47652	8B	47995	15A	48084	20D	48147	1A
47653	5C	47996	18A	48085	2A	48148	9F
47654	8B	47997	18A	48088	16D	48149	20B
47655	87K	47998	18A	48089	9F	48150	15A
47656	6B	47999	18A	48090	2E	48151	15A
47657	8B			48092	16C	48152	18A
47658	5C	48000	16C	48093	20C	48153	17A
47659	35C	48001	20A	48094	6C	48154	9F
47660	17A	48002	16A	48095	20C	48155	9F
47661	5B	48003	16A	48096	16C	48156	16D
47662	5E	48004	16C	48097	16C	48157	20A
47664	12A	48005	20A	48098	16C	48158	20A
47665	5C	48006	16C	48099	9F	48159	20A
47666	12A	48007	18A	48100	16C	48160	20D
47667	1B	48008	15A	48101	16C	48161	9F
47668	1B	48009	16C	48102	16A	48162	20C
47669	1B	48010	15A	48103	20C	48163	14A
47670	5B	48011	17A	48104	20A	48164	18B
47671	1B	48012	2C	48105	20G	48165	2A
47672	6F	48016	2B	48106	6C	48166	9D
47673	9A	48017	6C	48107	15A	48167	18D
47674	6F	48018	2C	48108	16C	48168	18A
47675	1A	48020	2B	48109	14A	48169	20C
47676	1A	48024	15B	48110	87K	48170	16A
47677	2A	48026	19C	48111	15A	48171	1A
47678	22A	48027	15C	48112	18A	48172	84G
47679	17D	48029	16C	48113	20D	48173	2A
47680	5B	48033	18A	48114	16C	48174	1A
47681	87K	48035	15B	48115	18B	48175	3A
47862	C.Wks.	48036	1A	48116	19A	48176	18A
47865	C.Wks.	48037	18B	48117	18A	48177	15D
47877	10A	48039	2A	48118	18B	48178	18A
47967	18A	48045	9G	48119	16D	48179	19A
47968	18C	48046	9G	48120	3A	48180	15A

48181	15A	48261	11E	48324	18A	48384	18A
48182	18A	48262	5B	48325	1A	48385	15A
48183	15A	48263	5B	48326	9D	48386	15A
48184	18A	48264	15A	48327	6C	48387	18A
48185	18A	48265	15A	48328	84G	48388	21A
48186	18A	48266	20D	48329	9F	48389	9A
48187	18A	48267	16C	48330	87K	48390	17A
48188	8B	48268	9D	48331	21A	48391	19C
48189	19A	48269	16A	48332	18A	48392	16C
48190	9F	48270	16C	48333	18B	48393	16C
48191	15A	48271	18A	48334	15A	48394	20D
48192	15A	48272	16D	48335	3A	48395	20D
48193	16C	48273	8C	48336	21A	48396	20D
48194	18A	48274	20D	48337	20C	48397	21A
48195	18A	48275	9F	48338	15A	48398	2A
48196	18A	48276	20B	48339	21A	48399	20A
48197	18A	48277	16D	48340	9G	48400	18A
48198	15A	48278	9D	48341	18D	48401	20A
48199	18A	48279	16A	48342	9E	48402	19C
48200	18A	48280	18B	48343	2A	48403	16C
48201	18A	48281	15A	48344	84G	48404	20A
48202	20D	48282	16C	48345	2B	48405	16D
48203	20A	48283	20A	48346	1BD	48406	9F
48204	18A	48284	19A	48347	84G	48407	19C
48205	18A	48285	15B	48348	8B	48408	16C
48206	16A	48286	11E	48349	8B	48409	16C
48207	1E	48287	5B	48350	18A	48410	14A
48208	9F	48288	5B	48351	21A	48411	9E
48209	19C	48289	5B	48352	20D	48412	20C
48210	18D	48290	5B	48353	18B	48413	16C
48211	15C	48291	5B	48354	84G	48414	14A
48212	18B	48292	5B	48355	15B	48415	14A
48213	18D	48293	16A	48356	15B	48416	1A
48214	16C	48294	5B	48357	20D	49417	21A
48215	16C	48295	5B	48358	20B	48418	15A
48216	19A	48296	5B	48359	15A	48419	20C
48217	16A	48297	5B	48360	15A	48420	21A
48218	16A	48301	15B	48361	18A	48421	9D
48219	18A	48302	17A	48362	18A	48422	2E
48220	9F	49303	18A	48363	15A	48423	2E
48221	18A	48304	18A	48364	15A	48424	21A
48222	15A	48305	15A	48365	15A	48425	9A
48223	16C	48306	15C	48366	3A	48426	2E
48224	16C	48307	84G	48367	18A	48427	2A
48225	16C	48308	84G	48368	1A	48428	9A
48246	6B	48309	84G	48369	84G	48429	9F
48247	6C	48310	3A	48370	18A	48430	18B
48248	2A	48311	20B	48371	15A	48431	20C
48249	6C	48312	1A	48372	2A	48432	17A
48250	3A	48313	15A	48373	8C	48433	1A
48251	5B	48314	19A	48374	15A	48434	19C
48252	5B	48315	9F	48375	3A	48435	2B
48253	5B	48316	9F	48376	15A	48436	20C
48254	9G	48317	16C	48377	20C	48437	2A
48255	5B	48318	3A	48378	15A	48438	84G
48256	5B	48319	21A	48379	16C	48439	20C
48257	5B	48320	2A	48380	15B	48440	1A
48258	5B	48321	68A	48381	15B	48441	2E
48259	5B	48322	9D	48382	16C	48442	16D
48260	8A	48323	8D	48383	16C	48443	20C

48444	18B	48518	1A	48618	18A	48678	15A
48445	2E	48519	9D	48619	15A	48679	15A
48446	2E	48520	8C	48620	18B	48680	9E
48447	19A	48521	8C	48621	16D	48681	18A
48448	6C	48522	8C	48622	20B	48682	9F
48449	2B	48523	21B	48623	18B	48683	9F
48450	19C	48524	87K	48624	1A	48684	6C
48451	9D	48525	87K	48625	15A	48685	18A
48452	19A	48526	2B	48626	1A	48686	2A
48453	3A	48527	9F	48627	15A	48687	21A
48454	20A	48528	8C	48628	1A	48688	1E
48455	6C	48529	8C	48629	1A	48689	20C
48456	2B	48530	16C	48630	8C	48690	21A
48457	8A	48531	8B	48631	8C	48691	6C
48458	6B	48532	20C	48632	1A	48692	15A
48459	20C	48533	15A	48633	9A	48693	1E
48460	18D	48534	2E	48634	1A	48694	18A
48461	18A	48535	1E	48635	16A	48695	15A
48462	8D	48536	68A	48636	18A	48696	16A
48463	18A	48537	20A	48637	18A	48697	9G
48464	68A	48538	18A	48638	18A	48698	9E
48465	9D	48539	18D	48639	16A	48699	15A
48466	20C	48540	20C	48640	18A	48700	21A
48467	15C	48541	14A	48641	20B	48701	16D
48468	87K	48542	20C	48642	19A	48702	20D
48469	20C	48543	15A	48643	16D	48703	20B
48470	6B	48544	1E	48644	15A	48704	15B
48471	15B	48545	18D	48645	15B	48705	3A
48472	68A	48546	18D	48646	19C	48706	87K
48473	20C	48547	20A	48647	21A	48707	84G
48474	84G	48548	19C	48648	1A	48708	68A
48475	15A	48549	1E	48649	1A	48709	6A
48476	1A	48550	1E	48650	18B	48710	20C
48477	3A	48551	1A	48651	15A	48711	9G
48478	84G	48552	16C	48652	20B	48712	9D
48479	2A	48553	15A	48653	16A	48713	3A
48490	18A	48554	8D	48654	17A	48714	8B
48491	6C	48555	9G	48655	18A	48715	8B
48492	15A	48556	3A	48656	1A	48716	2B
48493	2E	48557	9F	48657	1A	48717	9G
48494	18B	48558	8D	48658	1A	48718	6C
48495	18B	48559	2A	48659	1A	48719	6C
48500	9A	48600	1A	48660	84G	48720	8D
48501	9A	48601	1A	48661	18B	48721	15A
48502	8C	48602	3A	48662	18A	48722	3A
48503	9F	48603	1A	48663	18D	48723	2B
48504	8C	48604	18D	48664	20C	48724	87K
48505	11E	48605	1A	48665	16A	48725	3A
48506	8C	48606	18A	48666	16A	48726	6C
48507	20D	48607	18A	48667	9G	48727	3A
48508	19C	48608	20G	48668	15A	48728	15C
48509	2A	48609	21A	48669	21A	48729	2A
48510	9A	48610	1A	48670	20D	48730	87K
48511	8C	48611	15B	48671	15A	48731	9A
48512	8A	48612	68A	48672	18A	48732	87K
48513	8A	48613	9G	48673	6C	48733	3A
48514	8A	48614	16A	48674	3A	48734	9D
48515	18D	48615	18A	48675	16A	48735	84G
48516	9A	48616	20G	48676	9F	48736	8C
48517	15C	48617	15A	48677	9F	48737	87K

48738	87K		48964	3A		49121	86K
48739	84G					49122	1A
48740	9D		49002	2B		49125	3B
48741	9D		49005	1E		49126	8D
48742	9D		49007	10A		49129	10A
48743	8C		49008	8B		49130	11A
48744	9A		49009	3A		49132	9D
48745	9D		49010	9B		49134	CME
48746	9D		49018	10A			Crewe
48747	8C		49020	3C		49137	8A
48748	8C		49021	3A		49139	1A
48749	9D		49023	10A		49140	CME
48750	20A		49024	8B			Crewe
48751	9F		49025	10A		49141	10B
48752	3A		49027	10C		49142	9B
48753	8D		49028	86K		49143	8C
48754	1E		49033	87K		49144	11A
48755	3A		49034	10A		49145	1C
48756	68A		49035	87K		49146	86K
48757	2A		49037	3B		49147	10D
48758	68E		49044	3B		49148	87K
48759	15B		49045	3A		49149	8B
48760	87K		49046	86K		49150	10B
48761	87K		49047	5C		49151	9B
48762	3A		49048	3C		49153	8C
48763	21A		49049	1E		49154	10A
48764	6C		49051	86K		49155	1E
48765	19A		49057	9D		49157	84G
48766	3A		49061	1E		49158	5C
48767	3A		49063	3A		49160	10A
48768	87K		49064	86K		49161	86K
48769	3A		49066	3C		49162	3B
48770	20A		49068	2B		49164	1A
48771	8D		49070	1E		49167	3B
48772	8D		49073	8D		49168	86K
48893	84G		49077	3A		49172	2B
48895	10A		49078	1C		49173	8A
48898	1E		49079	8D		49174	86K
48899	86K		49081	8D		49177	87K
48902	3B		49082	8A		49180	1A
48905	3A		49087	10C		49181	2B
48907	3C		49088	1E		49186	2B
48914	2E		49089	3D		49189	3A
48915	1C		49092	3D		49191	10B
48917	3A		49093	8B		49196	10B
48921	86K		49094	10C		49198	3C
48922	3C		49099	3A		49199	10C
48926	10C		49104	10B		49200	8A
48927	2B		49105	2E		49202	3A
48930	3A		49106	3A		49203	10D
48932	8A		49108	9B		49209	10C
48940	3B		49109	11A		49210	9D
48942	8C		49112	8C		49212	2B
48943	3C		49113	86K		49214	9D
48944	8C		49114	2A		49216	3A
48945	84G		49115	5C		49223	3A
48950	3A		49116	8D		49224	8A
48951	1E		49117	84G		49226	86K
48952	1E		49119	6C		49228	10A
48953	1E		49120	2C		49229	5C

49230	5B		49242	11A
49234	10C		49254	10C
49239	10E		49260	84G
49240	3B		49262	10E
49241	3C		49266	3A
49243	86K		49267	10B
49245	3A		49268	10A
49246	3A		49270	2E
49247	3B		49271	8A
49249	8B		49275	1A
			49276	84G
			49277	1A
			49778	3A
			49281	9B
			49287	1E
			49288	10E
			49289	1E
			49293	2B
			49301	3C
			49304	2B
			49306	10A
			49308	3A
			49310	1E
			49311	10A
			49313	3A
			49314	8A
			49315	10D
			49316	86K
			49318	2B
			49321	2E
			49322	10A
			49323	1C
			49326	3C
			49327	3A
			49328	3A
			49330	2D
			49335	10C
			49339	CME
				Crewe
			49340	10C
			49341	10A
			49342	1A
			49343	8D
			49344	1A
			49345	86K
			49348	9D
			49350	2B
			49352	10A
			49354	3A
			49355	8A

49357	2E	49433	2A	49640	27B	50829	26E
49358	87K	49434	8A	49648	25E	50831	24C
49361	3A	49435	9G	49657	25E	50850	26C
49366	2E	49436	10A	49659	27B	50852	24C
49367	3A	49437	8A	49662	26F	50855	26C
49368	8A	49438	11A	49664	27B	50859	25B
49373	3C	49439	9A	49666	26D	50865	26C
49375	8A	49440	84G	49667	26D	50869	25D
49376	87K	49441	2D	49668	26F	50887	26C
49377	10E	49442	2D	49672	27B	50925	25E
49378	10A	49443	1E	49674	25E		
49381	10A	49444	2D			51202	71G
49382	10B	49445	8A	50621	20E	51204	5B
49385	10A	49446	2D	50622	20A	51206	27A
49386	10C	49447	2A	50623	20E	51207	25C
49387	9D	49448	86K	50625	23B	51212	22A
49389	10E	49449	11A	50633	20E	51216	27A
49390	10B	49450	1E	50634	20A	51217	22A
49391	10A	49451	8C	50636	20E	51218	5B
49392	8A	49452	2A	50643	10B	51221	5B
49393	10A	49452	2B	50644	10D	51222	25C
49394	8A	49454	9B	50646	26C	51227	27A
49395	8C	49503	27B	50647	26C	51229	27A
49396	10B	49505	27B	50648	26E	51230	26B
49397	2A	49506	27B	50650	26C	51231	27A
49398	8C	49508	26D	50651	24B	51232	27A
49399	8A	49509	26F	50652	24B	51234	27A
49400	10A	49511	27D	50653	24B	51235	17A
49401	10A	49515	27B	50655	24B	51237	27A
49402	10A	49524	27B	50656	26E	51240	26B
49403	86K	49532	26C	50660	26C	51241	25C
49404	8A	49536	26F	50678	10B	51244	25C
49405	9G	49538	26C	50681	20E	51246	27A
49406	8C	49544	26C	50686	23B	51253	27A
49407	5B	49545	27B	50687	8B	51307	27A
49408	10A	49547	27B	50689	20A	51313	8A
49409	86K	49552	27B	50695	10B	51316	10E
49410	5C	49554	27B	50703	8B	51319	10E
49411	2A	49555	26B	50705	8B	51321	24F
49412	8A	49557	26A	50712	24E	51323	25C
49413	2A	49560	26A	50714	20E	51336	24B
49414	2B	49566	27B	50715	25E	51338	27E
49415	2A	49570	26A	50721	27D	51343	27B
49416	2A	49578	26B	50725	24E	51345	24C
49417	2D	49582	27B	50731	26C	51348	25E
49418	2B	49586	27B	50746	24D	51353	8A
49419	2B	49591	26A	50752	24F	51358	25D
49420	8C	49592	27D	50757	26A	51361	25C
49421	10C	49598	27D	50762	25D	51371	27A
49422	86K	49600	27B	50764	24C	51375	27A
49423	8A	49602	25E	50765	26C	51376	26D
49424	2B	49603	26B	50777	27C	51379	25C
49425	2A	49608	26F	50778	25E	51381	25E
49426	10C	49612	27D	50781	27D	51390	24A
49427	8A	49618	26F	50788	26B	51396	27A
49428	9A	49620	25E	50795	20E	51397	10E
49429	8A	49624	27B	50799	25B	51404	25F
49430	2B	49627	26B	50802	24F	51408	25B
49431	2A	49637	27D	50807	26C	51410	24A
49432	2B	49638	27D	50818	25F	51412	C.Wks.

51413	27B	52021	10A	52182	24E	52328	26D
51415	24D	52024	10C	52183	27C	52331	25C
51419	26D	52030	10C	52186	25A	52333	26C
51423	24C	52031	10C	52189	25D	52334	26A
51424	26A	52037	25A	52194	24D	52336	25D
51425	26A	52043	25A	52196	10E	52338	10C
51429	H.Wks.	52044	25A	52197	27D	52341	10A
51432	25C	52045	10A	52201	12E	52343	26A
51436	26A	52051	10A	52203	24D	52345	25A
51439	8C	52053	10A	52207	26A	52348	26C
51441	10E	52089	20D	52212	26C	52349	10E
51444	C.Wks.	52091	10E	52215	24E	52350	26C
51445	8A	52093	27B	52216	24D	52351	25F
51446	C.Wks.	52094	26A	52217	25E	52355	25E
51447	25D	52095	20C	52218	27B	52356	6K
51453	25D	52098	10A	52220	24D	52357	27D
51457	26A	52099	26F	52225	6C	52358	26A
51458	26A	52102	26A	52230	6H	52360	26F
51460	27B	52104	25F	52231	26C	52362	27B
51462	27B	52105	8A	52232	6C	52365	26F
51464	26B	52107	10A	52235	25A	52366	10E
51470	26A	52108	20C	52236	25D	52368	24C
51471	10E	52118	8A	52237	25F	52369	24B
51472	26A	52119	6H	52239	26A	52376	25A
51474	27D	52120	25A	52240	24F	52378	27B
51477	24F	52121	16A	52243	25A	52379	27B
51479	25E	52123	16A	52244	25A	52381	27B
51481	24F	52124	27C	52245	26D	52382	26D
51484	26G	52125	10E	52246	26D	52386	25A
51486	26D	52129	26D	52248	26F	52387	27D
51488	25E	52132	26A	52252	20C	52388	24D
51489	26D	52133	25A	52255	25E	52389	26A
51490	27C	52135	16A	52258	20C	52390	27D
51491	10E	52136	26C	52260	24D	52393	10E
51496	26A	52137	26A	52262	27D	52397	10E
51497	24B	52138	24E	52266	26A	52399	24D
51498	24F	52139	26A	52268	26D	52400	25E
51499	24D	52140	10A	52269	6H	52404	26C
51500	26B	52141	2B	52270	6C	52405	26D
51503	25E	52143	10C	52271	26D	52408	25C
51504	26D	52150	25A	52272	24C	52410	25C
51506	24D	52154	25E	52273	25C	52411	25F
51510	26G	52156	26A	52275	27D	52412	27B
51511	26C	52157	24E	52278	27C	52413	26C
51512	26B	52159	26D	52279	26B	52415	24E
51513	26C	52160	24C	52285	12E	52416	27B
51514	24A	52161	27C	52289	27D	52418	12E
51516	25C	52162	6H	52290	24F	52427	26D
51519	26C	52163	8C	52293	26B	52429	2B
51521	25C	52164	26D	52299	24D	52431	24C
51524	25B	52165	26D	52300	24D	52432	6C
51526	24C	52166	25F	52304	26A	52435	25A
51530	27B	52167	7D	52305	25A	52437	24E
51535	27B	52169	27D	52309	25C	52438	8C
51536	27A	52171	27B	52311	24D	52440	26E
51537	27B	52172	6K	52312	26C	52441	24D
51544	27B	52174	24C	52317	24C	52443	26E
51546	27A	52175	8C	52319	24B	52445	24D
		52177	10E	52321	8A	52447	24D
		52179	26D	52322	2B	52449	2B
52016	10C						

34

52450	27D	54398*	60D	54498	66D	55198	63C
52452	25E	54438	64D	54499	63A	55199	60A
52453	6K	54439	60A	54500	63A	55200	63C
52455	26A	54440	66D	54501	63A	55201	66A
52456	24C	54441	66B	54502	63A	55202	64C
52458	24C	54443	68B	54503	63A	55203	67B
52459	24E	54444	68B	54504	67B	55204	65B
52461	26A	54445	60D	54505	64D	55206	67A
52464	27B	54446	64D	54506	66D	55207	66A
52465	2B	54447	63A	54507	68B	55208	63A
52466	24E	54448	63A	54508	66D	55209	63A
52494	12E	54449	64D	54634	66C	55210	64C
52499	12D	54450	63C	54636	66C	55211	67A
52501	12D	54451	64C	54639	66C	55212	63B
52509	12E	54452	64C	54640	66B	55213	63A
52510	12E	54453	66B	54650	66B	55214	63C
52515	25F	54454	63C			55215	63E
52517	26A	54455	60B	55051	60C	55216	63A
52521	25F	54456	67B	55053	60C	55217	62B
52522	24D	54457	66B	55119	65F	55218	63A
52523	12D	54458	60A	55124	68B	55219	67A
52524	24C	54459	60A	55125	68C	55220	68D
52525	6C	54460	66B	55126	63B	55221	68D
52526	24D	54461	64D	55135	67A	55222	63B
52527	24B	54462	66B	55136	63C	55223	62B
52529	24D	54463	60A	55139	64C	55224	66A
52549	26F	54464	66B	55140	67A	55225	67A
52551	10A	54465	66B	55141	66A	55226	62B
52554	27D	54466	60B	55142	65F	55227	62B
52558	25E	54467	63A	55143	67A	55228	66A
52559	20C	54468	66D	55144	63A	55229	64C
52561	25F	54469	63A	55145	63B	55230	63C
52569	26A	54470	60A	55146	66A	55231	62B
52572	25D	54471	60A	55160	60A	55232	68D
52575	25E	54472	60A	55161	62B	55233	64C
52576	25A	54473	60E	55162	62B	55234	68D
52579	24B	54474	65B	55164	68B	55235	67A
52580	26D	54475	65B	55165	64C	55236	67B
52581	26D	54476	63A	55166	64C	55237	68D
52582	27C	54477	64D	55167	66A	55238	65F
52587	25F	54478	64C	55168	65B	55239	66B
52588	27B	54479	66B	55169	62B	55240	67C
52592	25D	54480	60C	55170	66A	55260	68D
52598	10A	54481	60E	55172	63C	55261	64D
52608	6K	54482	60E	55173	62B	55262	67C
52615	26F	54483	65F	55174	60B	55263	63E
52616	27D	54484	60A	55175	63A	55264	67C
52619	6K	54485	63A	55176	63A	55265	66A
		54486	63C	55177	64E	55266	67A
53800	71G	54487	60A	55178	60E	55267	66D
53801	71G	54488	60B	55179	66A	55268	66A
53802	71G	54489	63A	55182	66C	55269	67A
53803	71G	54490	64D	55185	63C	55359	68D
53804	71G	54491	60A	55187	63C		
53805	71G	54492	66D	55189	64C	56011	60A
53806	71G	54493	60B	55193	63C	56020	17B
53807	71G	54494	63A	55194	63C	56025	St. R. Wks.
53808	71G	54495	60C	55195	63E	56027	10B
53809	71G	54496	60D	55196	63E		
53810	71G	54497	66D	55197	66A		

56028	66B	56259	67D	56321	66C	57235	67C
56029	65D	56260	66A	56322	66A	57236	67B
56030	65G	56261	66A	56323	62B	57237	66C
56031	66D	56262	60A	56324	66A	57238	66A
56032	C. Wks.	56263	66A	56325	62B	57239	66A
56035	66D	56264	66B	56326	61B	57240	65B
56038	60A	56265	66B	56327	68A	57241	67A
56039	65G	56266	68A	56328	63A	57242	66C
56151	65B	56267	65F	56329	67A	57243	63B
56152	65F	56269	66B	56330	65B	57244	66C
56153	66A	56271	66B	56331	63A	57245	65D
56154	66A	56272	67C	56332	68A	57246	63B
56155	66B	56273	67C	56333	68A	57247	66B
56156	66D	56274	67C	56334	66B	57249	67A
56157	66D	56275	65F	56335	66B	57250	66C
56158	65G	56276	66B	56336	65F	57251	65B
56159	66A	56277	66B	56337	66B	57252	63B
56160	66A	56278	61B	56338	66B	57253	65B
56161	65G	56279	67D	56339	65G	57254	63E
56162	66A	56280	66A	56340	68A	57256	66B
56163	66D	56281	66C	56341	60A	57257	63B
56164	65F	56282	67D	56342	66A	57258	65D
56165	66D	56283	64C	56343	63B	57259	65G
56166	66D	56284	66C	56344	65D	57260	66C
56167	66A	56285	66B	56345	66B	57261	65B
56168	65G	56286	66C	56346	66A	57262	67C
56169	65B	56287	66C	56347	63A	57263	67D
56170	65G	56288	66D	56348	61B	57264	63B
56171	65D	56289	65B	56349	66A	57265	65F
56172	65E	56290	63A	56350	67A	57266	67A
56173	66D	56291	60A	56352	63A	57267	66B
56230	65F	56292	66A	56353	63A	57268	66A
56231	68A	56293	60A	56354	68A	57269	65B
56232	63B	56294	66A	56355	68A	57270	66B
56233	65B	56295	66A	56356	66B	57271	66A
56234	68C	56296	66C	56357	66B	57273	65D
56235	68A	56297	65G	56358	66B	57274	67D
56236	67B	56298	66A	56359	63A	57275	66A
56237	66C	56299	60A	56360	66C	57276	67D
56238	65G	56300	65F	56361	67A	57278	66B
56239	66A	56301	60E	56362	66C	57279	67C
56240	61B	56302	65D	56363	67C	57280	66C
56241	66B	56303	66C	56364	67D	57282	67D
56242	66C	56304	66A	56365	63B	57284	67C
56243	65F	56305	66A	56366	63B	57285	65F
56244	66A	56306	66A	56367	67C	57287	65F
56245	66B	56307	66A	56368	67B	57288	66A
56246	63A	56308	66A	56369	67A	57291	66B
56247	66B	56309	66C	56370	65B	57292	66A
56248	68A	56310	65B	56371	66C	57295	67C
56249	67A	56311	67D	56372	68C	57296	65D
56250	65G	56312	64C	56373	68A	57299	66B
56251	61B	56313	64C	56374	68A	57300	67A
56252	65B	56314	66A	56375	65F	57302	68B
56253	64C	56315	65G	56376	65F	57303	66B
56254	63B	56316	68A			57307	66C
56255	66C	56317	68A	57230	66A	57309	67A
56256	66C	56318	66A	57232	63B	57311	65B
56257	67C	56319	66C	57233	63B	57314	65D
56258	66B	56320	66C	57234	67C	57315	67C

57317	66A	57407	66C	57566	67A	57637	67B
57319	66A	57410	66C	57568	62B	57638	66B
57320	66A	57411	65B	57569	67C	57640	67C
57321	66A	57412	66A	57570	67B	57642	60A
57322	65D	57413	66C	57571	67B	57643	67B
57324	63C	57414	66B	57572	67B	57644	67C
57325	66B	57416	66B	57573	67B	57645	64C
57326	66B	57417	66B	57575	67A	57650	67B
57328	66B	57418	66B	57576	64C	57651	67B
57329	68B	57419	66B	57577	67D	57652	65D
57331	67B	57423	63B	57579	67A	57653	62B
57332	66B	57424	63B	57580	67A	57654	64C
57335	66B	57426	65B	57581	66A	57655	64D
57336	65D	57429	65D	57582	66B	57658	67C
57337	68B	57430	66C	57583	64D	57659	66B
57338	65F	57431	66C	57585	60D	57661	66A
57339	63B	57432	66A	57586	60B	57663	66C
57340	68C	57434	65B	57587	60C	57665	66C
57341	65D	57435	66B	57588	66B	57666	66B
57345	63A	57436	66B	57589	67A	57667	65F
57346	67D	57437	66B	57590	67D	57668	66B
57347	66A	57438	64D	57591	60A	57669	67D
57348	67D	57439	66A	57592	65D	57670	64D
57349	68B	57441	63C	57593	66B	57671	67B
57350	65B	57443	66A	57594	67A	57672	67B
57353	67B	57444	66A	57595	66B	57673	67D
57354	67C	57445	68C	57596	67A	57674	66A
57355	67D	57446	66A	57597	60A	57679	64D
57356	67D	57447	66A	57599	66B	57681	66B
57357	67B	57448	66A	57600	68B	57682	66D
57359	67B	57450	63B	57601	68B	57684	67C
57360	66A	57451	64D	57602	68B	57686	65B
57361	66A	57454	64B	57603	64D	57688	67B
57362	68B	57456	65D	57604	64D	57689	65F
57363	68B	57457	65B	57605	65D	57690	66D
57364	67C	57458	68C	57607	65D	57691	65F
57365	66A	57459	66A	57608	64D	57954	60A
57366	65F	57460	63B	57609	66C	57955	60A
57367	66A	57461	66B	57611	67C		
57368	63C	57462	66B	57612	65D	58038	33A
57369	66D	57463	66A	57613	64D	58040	23A
57370	66A	57464	66A	57614	67C	58047	71H
57373	65B	57465	66A	57615	67C	58050	16A
57375	68C	57470	65D	57617	65B	58051	22B
57377	68B	57472	65D	57618	64D	58053	15A
57378	68B	57473	63B	57619	66A	58054	33A
57383	67B	57550	64C	57620	60E	58056	16A
57384	66C	57552	66D	57621	68B	58058	17B
57385	64D	57553	64C	57622	60A	58060	20C
57386	64D	57554	65B	57623	68B	58062	33A
57387	66A	57555	66A	57625	60B	58065	33A
57388	66A	57556	66D	57626	64D	58066	20C
57389	66A	57557	65B	57627	67D	58067	19B
57392	67C	57558	65B	57628	67C	58068	19B
57395	66C	57559	64C	57630	66C	58070	20E
57396	63E	57560	67A	57631	65B	58071	22B
57397	67A	57562	67A	57632	68A	58072	71J
57398	66C	57563	68A	57633	67C	58073	15C
57404	66B	57564	66A	57634	60A	58075	23A
57405	68B	57565	64C	57635	64D	58076	19B

37

58077	23A	58167	21A	58236	17B	58383	8D
58080	17B	58168	18B	58238	19C	58389	5D
58083	9D	58169	18A	58240	2B	58394	10E
58084	9D	58170	19C	58241	84G	58396	10A
58085	15A	58171	18A	58242	15C	58409	12C
58086	71H	58172	15B	58244	19C	58412	12C
58087	17B	58173	18A	58246	17A	58413	8D
58088	71H	58174	17C	58247	17C	58415	8D
58089	33A	58175	19A	58249	15C	58418	6K
58090	23A	58176	18A	58257	11B	58419	8D
58091	15D	58177	11B	58258	84G	58421	6G
58100	21C	58178	3E	58259	33A	58426	5B
58114	19C	58179	3E	58260	20C	58427	9B
58115	11B	58180	3D	58261	21A	58429	5B
58116	11B	58181	2A	58264	17C	58430	8D
58117	3D	58182	3D	58265	20C	58850	17D
58118	2B	58183	3B	58269	2A	58851	6C
58119	3B	58184	33A	58271	16A	58852	1D
58120	11B	58185	3E	58272	2B	58853	1D
58121	11B	58186	17B	58273	3A	58854	6C
58122	3A	58187	11B	58276	19A	58855	1D
58123	3C	58188	20C	58277	3A	58856	17D
58124	3E	58189	17D	58278	2D	58857	6C
58125	17A	58190	19A	58279	3C	58858	1D
58126	21B	58191	33A	58280	2A	58859	1D
58127	19C	58192	19A	58281	2E	58860	17D
58128	9F	58193	15B	58283	3C	58861	1D
58129	33A	58194	15B	58286	3E	58862	17D
58130	17B	58195	15B	58287	11B	58863	6C
58131	14B	58196	18B	58288	3C	58880	86K
58132	17A	58197	18A	58290	2A	58887	1E
58133	16A	58198	19C	58291	11B	58888	86K
58135	16A	58199	11B	58293	2D	58889	86K
58136	20B	58200	33A	58295	3D	58891	86K
58137	16C	58203	84G	58298	15C	58899	86K
58138	21B	58204	19C	58299	11B	58900	3E
58139	19A	58206	22B	58300	15C	58902	86K
58140	19A	58207	84G	58303	11B	58903	7B
58142	15C	58209	19B	58305	15D	58904	84G
58143	21B	58211	84G	58306	2D	58910	87K
58144	17A	58212	20B	58308	2A	58911	86K
58145	17B	58213	84G	58309	11B	58915	86K
58146	18A	58214	15B	58310	33B	58919	86K
58147	19C	58215	14B	58321	C. Wks.	58921	86K
58148	17A	58216	17A	58323	C. Wks.	58924	86K
58149	15D	58217	2D	58326	C. Wks.	58925	86K
58152	3B	58218	2E	58328	C. Wks.	58926	84G
58153	18A	58219	17A	58330	11B		
58154	20C	58220	19A	58332	C. Wks.		
58156	20C	58221	17B	58336	C. Wks.		
58157	3C	58224	17D	58343	C. Wks.		
58158	14B	58225	19A	58347	C. Wks.		
58159	18A	58228	17D	58354	11B		
58160	17B	58229	14B	58362	6K		
58161	14A	58230	21A	58375	6G		
58162	15B	58231	21A	58376	12A		
58163	17C	58232	19A	58377	10A		
58164	15B	58233	19C	58378	10E		
58165	19A	58234	14A	58381	6H		
58166	18B	58235	14A	58382	5D		

abc

LOCOSHED BOOK

Nos. 60001-90774

**EASTERN, NORTH-EASTERN
SCOTTISH, STANDARD &
W.D. LOCOMOTIVES**

Ian Allan Ltd

LONDON

SHED ALLOCATIONS OF
BRITISH RAILWAY LOCOMOTIVES
Nos. 60001-90774

EASTERN, NORTH-EASTERN & SCOTTISH
(ex-L.N.E.R.), EX-W.D. and B.R. LOCOMOTIVES

IN NUMERICAL ORDER

60001* 52A	60039* 35B	60077* 52B	60115* 52A
60002* 52A	60040* 52A	60078* 52A	60116* 52B
60003* 34A	60041* 64B	60079* 68E	60117* 35B
60004* 64B	60042* 52A	60080* 52B	60118* 37B
60005* 52A	60043* 64B	60081* 50B	60119* 37B
60006* 34A	60044* 52A	60082* 52A	60120* 37B
60007* 34A	60045* 36A	60083* 52B	60121* 50A
60008* 34A	60046* 36A	60084* 50B	60122* 35B
60009* 64B	60047* 35B	60085* 52B	60123* 37A
60010* 34A	60048* 38C	60086* 50B	60124* 52A
60011* 64B	60049* 38C	60087* 64B	60125* 37B
60012* 64B	60050* 34E	60088* 52B	60126* 52B
60013* 34A	60051* 34E	60089* 64B	60127* 52B
60014* 34A	60052* 38C	60090* 64B	60128* 35B
60015* 34A	60053* 35B	60091* 52B	60129* 52A
60016* 52A	60054* 38C	60092* 52B	60130* 35B
60017* 34A	60055* 36A	60093* 68E	60131* 35B
60018* 52A	60056* 34A	60094* 64B	60132* 52A
60019* 52A	60057* 64B	60095* 68E	60133* 37B
60020* 34A	60058* 36A	60096* 64B	60134* 37B
60021* 34A	60059* 38C	60097* 64B	60135* 52A
60022* 34A	60060* 51A	60098* 64B	60136* 35B
60023* 52A	60061* 34E	60099* 64B	60137* 52A
60024* 64B	60062* 36A	60100* 64B	60138* 50A
60025* 34A	60063* 35B	60101* 64B	60139* 37B
60026* 34A	60064* 36A	60102* 38C	60140* 50A
60027* 64B	60065* 35B	60103* 38C	60141* 37B
60028* 34A	60066* 36A	60104* 38C	60142* 52A
60029* 34A	60067* 34A	60105* 34A	60143* 52A
60030* 34A	60068* 68E	60106* 35B	60144* 37A
60031* 64B	60069* 52B	60107* 38C	60145* 52A
60032* 34A	60070* 52A	60108* 34A	60146* 50A
60033* 34A	60071* 52A	60109* 34A	60147* 52A
60034* 34A	60072* 52B	60110* 35B	60148* 35B
60035* 64B	60073* 52B	60111* 34E	60149* 35B
60036* 50B	60074* 50B	60112* 35B	60150* 52A
60037* 64B	60075* 52A	60113* 35B	60151* 52A
60038* 52A	60076* 51A	60114* 37B	60152* 64B

60153*	50A	60809*	52A	60869	35A	60929	51A
60154*	52A	60810	52B	60870	36A	60930	36A
60155*	52A	60811	52B	60871	38E	60931	62B
60156*	35B	60812	52B	60872*	36A	60932	52D
60157*	35B	60813	64A	60873*	64A	60933	50A
60158*	35B	60814	64A	60874	35A	60934	50A
60159*	64B	60815	36A	60875	36A	60935	36A
60160*	64B	60816	64B	60876	35A	60936	35A
60161*	66A	60817	38E	60877	36A	60937	62B
60162*	64B	60818	34A	60878	38E	60938	31B
60500*	35A	60819	61B	60879	38E	60939	52B
60501*	50A	60820	35A	60880	36A	60940	52A
60502*	50A	60821	64A	60881	36A	60941	50A
60503*	50A	60822	62B	60882	64A	60942	52B
60504*	35A	60823	64A	60883	52A	60943	36A
60505*	35A	60824	61B	60884	52D	60944	52B
60506*	35A	60825	64A	60885	52A	60945	52A
60507*	64B	60826	37B	60886	52A	60946	50A
60508*	35A	60827	61B	60887	52A	60947	52A
60509*	64B	60828	35A	60888	61B	60948	36A
60510*	64B	60829	35A	60889	36A	60949	52C
60511*	52B	60830	31B	60890	38E	60950	35A
60512*	52B	60831	38E	60891	52B	60951	64B
60513*	35A	60832	35A	60892	64A	60952	52A
60514*	52A	60833	52B	60893	35A	60953	64A
60515*	52A	60834	62B	60894	64A	60954	50A
60516*	52A	60835*	52B	60895	52B	60955	61B
60517*	52B	60836	64A	60896	36A	60956	36A
60518*	52A	60837	50A	60897	35A	60957	52A
60519*	64B	60838	62B	60898	61B	60958	62B
60520*	35A	60839	50A	60899	31B	60959	64B
60521*	52A	60840	62B	60900	35A	60960	50A
60522*	50A	60841	35A	60901	50A	60961	50A
60523*	35A	60842	35A	60902	36A	60962	50A
60524*	50A	60843	50A	60903	34A	60963	50A
60525*	61B	60844	62B	60904	50A	60964	52A
60526*	50A	60845	82C	60905	35A	60965	52A
60527*	62B	60846	37B	60906	35A	60966	38E
60528*	62B	60847*	50A	60907	51A	60967	52A
60529*	64B	60848	64A	60908	35A	60968	50A
60530*	64B	60849	36A	60909	35A	60969	62B
60531*	61B	60850	35A	60910	52B	60970	61B
60532*	61B	60851	61B	60911	35A	60971	62B
60533*	35A	60852	36A	60912	35A	60972	62B
60534*	64B	60853	35A	60913	37B	60973	61B
60535*	64B	60854	35A	60914	34A	60974	50A
60536*	64B	60855	35A	60915	38E	60975	50A
60537*	64B	60856	50A	60916	35A	60976	50A
60538*	52A	60857	36A	60917	36A	60977	50A
60539*	52B	60858	31B	60918	50A	60978	50A
60700	34A	60859	38E	60919	61B	60979	50A
60800*	34A	60860*	52B	60920	62B	60980	64A
60801	52B	60861	37B	60921	36A	60981	50A
60802	52A	60862	34A	60922	64A	60982	50A
60803	31B	60863	38E	60923	52A	60983	34A
60804	62B	60864	50A	60924	35A		
60805	52B	60865	37B	60925	50A	61000*	30D
60806	52B	60866	35A	60926	52B	61001*	34E
60807	52B	60867	36A	60927	64B	61002*	50A
60808	52B	60868	52A	60928	36A	61003*	30F

61004*	30F	61065	50B	61125	36A	61185	38C
61005*	30F	61066	38B	61126	36E	61186	38C
61006*	30F	61067	65C	61127	36A	61187	38C
61007*	64B	61068	53A	61128	36A	61188	38C
61008*	30A	61069	50B	61129	37B	61189*	51E
61009*	34E	61070	35A	61130	40B	61190	40B
61010	53B	61071	50A	61131	38A	61191	30A
61011*	52A	61072	62A	61132	62B	61192	38A
61012*	52A	61073	35A	61133	61B	61193	36A
61013*	52A	61074	53A	61134	61A	61194	36B
61014*	52A	61075	35A	61135	30F	61195	40B
61015*	50A	61076	64B	61136	34E	61196	36A
61016*	50A	61077	34E	61137	34A	61197	65A
61017*	51E	61078	38C	61138	34A	61198	51A
61018*	51E	61079	40B	61139	34A	61199	52A
61019*	52D	61080	53A	61140	65A	61200	34A
61020*	50A	61081	64B	61141	38C	61201	32B
61021*	52A	61082	40B	61142	40B	61202	40B
61022*	50A	61083	34E	61143	35A	61203	34A
61023*	52A	61084	50A	61144	40B	61204	40B
61024*	50A	61085	37A	61145	37C	61205	30A
61025*	52D	61086	50B	61146	62A	61206	35A
61026*	36A	61087	36A	61147	62A	61207	35A
61027*	35A	61088	38C	61148	62A	61208	36E
61028*	34E	61089	30A	61149	30F	61209	38B
61029*	39B	61090	34D	61150	39B	61210	35A
61030*	51E	61091	34D	61151	39B	61211	36E
61031*	37C	61092	38C	61152	39B	61212	36E
61032*	51E	61093	34D	61153	39B	61213	36E
61033*	37A	61094	34D	61154	39B	61214	51E
61034*	51E	61095	34D	61155	39A	61215*	53B
61035	50B	61096	39B	61156	39A	61216	50B
61036*	36A	61097	34D	61157	39A	61217	68E
61037*	51E	61098	40B	61158	39A	61218	50B
61038	50A	61099	34D	61159	39A	61219	68E
61039*	50A	61100	52A	61160	39A	61220	51E
61040*	50A	61101	62B	61161	39A	61221*	64B
61041	32A	61102	62B	61162	39A	61222	68E
61042	32A	61103	62A	61163	34E	61223	39A
61043	32A	61104	30A	61164	34E	61224	51A
61044	32A	61105	34D	61165	36B	61225	39B
61045	32A	61106	38C	61166	36B	61226	30F
61046	32A	61107	36A	61167	36B	61227	30A
61047	32A	61108	38C	61168	36B	61228	39A
61048	32A	61109	30A	61169	39B	61229	37C
61049	51A	61110	37A	61170	36A	61230	37C
61050	32A	61111	38A	61171	40A	61231	36E
61051	32A	61112	40B	61172	65A	61232	30F
61052	32B	61113	34A	61173	51E	61233	30A
61053	50A	61114	39A	61174	39B	61234	30A
61054	32B	61115	50A	61175	40B	61235	30A
61055	32B	61116	34E	61176	51A	61236	30A
61056	38A	61117	65A	61177	40A	61237*	50B
61058	32B	61118	62A	61178	64B	61238*	52A
61059	32B	61119	30A	61179	39B	61239	50A
61060	53A	61120	36A	61180	65A	61240*	50B
61061	51A	61121	31A	61181	39B	61241*	52D
61062	50B	61122	37A	61182	39A	61242*	61C
61063	38B	61123	37A	61183	39B	61243*	65A
61064	65A	61124	36A	61184	39A	61244*	64B

61245*	64B	61305	53B	61365	40B	61425	50B
61246*	36A	61306	53B	61366	40B	61426	50A
61247*	36A	61307	61A	61367	38A	61427	50B
61248*	36A	61308	61C	61368	38E	61428	50B
61249*	36A	61309	37B	61369	38A	61429	50B
61250*	36A	61310	37A	61370	30A	61430	50A
61251*	34A	61311	39B	61371	40A	61431	50B
61252	32B	61312	39B	61372	30A	61432	50B
61253	32B	61313	39B	61373	30A	61433	50B
61254	32B	61314	39B	61374	40B	61434	50A
61255	51A	61315	39B	61375	30A	61435	50A
61256	50B	61316	39B	61376	38A	61436	50A
61257	50B	61317	39B	61377	37B	61437	50A
61258	40A	61318	40B	61378	38A	61438	50A
61259	50B	61319	54C	61379*	40B	61439	50A
61260	65A	61320	54C	61380	38A	61440	50B
61261	65A	61321	54C	61381	38E	61441	50A
61262	62A	61322	52D	61382	37A	61442	50B
61263	62B	61323	61A	61383	37A	61443	50A
61264	30F	61324	61A	61384	37A	61444	50A
61265	36A	61325	40B	61385	37A	61445	50E
61266	34A	61326	39A	61386	37B	61446	50B
61267	37C	61327	39B	61387	37B	61447	50B
61268	37C	61328	40B	61388	37A	61448	50A
61269	40A	61329	35A	61389	35A	61449	50A
61270	32A	61330	35A	61390	38A	61450	50A
61271	32A	61331	35A	61391	35A	61451	50A
61272	32A	61332	32A	61392	35A	61452	50B
61273	51A	61333	31A	61393	36A	61453	50A
61274	51A	61334	31A	61394	36A	61454	50A
61275	51E	61335	30D	61395	68E	61455	50A
61276	51A	61336	30D	61396	65A	61456	50A
61277	65A	61337	50A	61397	64A	61457	50A
61278	62B	61338	50A	61398	64A	61458	50B
61279	40A	61339	50A	61399	36A	61459	50A
61280	40A	61340	65A	61400	61A	61460	50A
61281	40A	61341	64A	61401	61A	61461	50A
61282	30A	61342	65A	61402	62B	61462	50B
61283	38A	61343	65A	61403	62B	61463	50A
61284	40B	61344	65A	61404	64B	61464	50A
61285	31A	61345	61A	61405	40A	61465	50B
61286	31A	61346	61A	61406	40B	61466	50B
61287	31A	61347	61A	61407	40B	61467	50A
61288	50A	61348	61A	61408	40B	61468	50A
61289	51A	61349	61A	61409	40B	61469	50B
61290	51E	61350	61A	61410	50B	61470	50B
61291	51A	61351	61A	61411	50B	61471	50B
61292	62B	61352	61A	61412	50B	61472	50B
61293	62B	61353	51A	61413	50B	61473	50B
61294	37C	61354	64A	61414	50B	61474	50B
61295	37B	61355	64C	61415	50B	61475	50A
61296	37C	61356	64A	61416	50A	61476	50A
61297	37A	61357	64A	61417	50A	61477	50A
61298	38C	61358	64A	61418	50A	61478	50B
61299	38C	61359	64A	61419	50A	61501	61C
61300	31A	61360	30D	61420	50A	61502	61C
61301	31A	61361	30D	61421	50A	61507	61A
61302	31A	61362	30D	61422	50B	61508	61C
61303	51E	61363	30D	61423	50A	61512	30E
61304	53B	61364	40A	61424	50B		

61513	61A
61514	32D
61516	30A
61519	30A
61520	32F
61521	61A
61523	30E
61524	61A
61528	61A
61530	32F
61532	61A
61533	32B
61535	32B
61537	31D
61538	35B
61539	61A
61540	31D
61541	35B
61542	32D
61543	61A
61545	32F
61546	30A
61547	31D
61549	30A
61550	30A
61552	61A
61553	35B
61554	35B
61555	30E
61556	30E
61557	30E
61558	30E
61561	32B
61562	32B
61563	61A
61564	32B
61565	35B
61566	32B
61567	30A
61568	32A
61569	32B
61570	32B
61571	30A
61572	30A
61573	30A
61574	30A
61575	30A
61576	30A
61577	32B
61578	30A
61579	30E
61580	30A
61600*	32B
61601*	32B
61602*	30A
61603*	30E
61604*	30A
61605*	31B
61606*	30A
61607*	30E
61608*	30A
61609*	32A
61610*	30A
61611*	30A
61612*	30A
61613*	30A
61614*	30E
61615*	30E
61616*	30E
61617*	31A
61618*	32B
61619*	31A
61620*	31A
61621*	31B
61622*	31A
61623*	31A
61624*	31A
61625*	31A
61626*	31B
61627*	31A
61628*	31A
61629*	32A
61630*	30A
61631*	30A
61632*	30E
61633*	31B
61634*	32B
61635*	31B
61636*	31A
61637*	31A
61638*	31B
61639*	30E
61640*	31A
61641*	31B
61642*	31A
61643*	30A
61644*	30E
61645*	32B
61646*	30A
61647*	32B
61648*	30A
61649*	32B
61650*	30A
61651*	30A
61652*	31A
61653*	31A
61654*	30A
61655*	30A
61656*	31B
61657*	38A
61658*	31B
61659*	32A
61660*	30A
61661*	30A
61662*	30A
61663*	31A
61664*	32D
61665*	32D
61666*	30A
61667*	30A
61668*	32B
61669*	32B
61670*	32A
61671*	31A
61672*	30A
61700*	65A
61701	65A
61720	40B
61721	62C
61722	65C
61723	38A
61724	40B
61725	40F
61726	38A
71727	40B
61728	40B
61729	38A
61730	40B
61731	62A
61732	38A
61733	65C
61734	62C
61735	65C
61736	40B
61737	30A
61738	38A
61739	40B
61740	40B
61741	65A
61742	31D
61743	31B
61744	40F
61745	30A
61746	30A
61747	38A
61748	31D
61749	38A
61750	40F
61751	38A
61752	30A
61753	30A
61754	30A
61755	62A
61756	40F
61757	40F
61758	62C
61759	30A
61760	40F
61761	30A
61762	40F
61763	38A
61764*	65A
61765	30A
61766	40F
61767	30A
61768	38A
61769	65C
61770	62A
61771	38A
61772*	65C
61773	38A
61774*	65A
61775*	65A
61776	65A
61777	30A
61778	30A
61779	65A
61780	30A
61781*	65A
61782*	65A
61783*	63D
61784	65A
61785	65A
61786	65A
61787*	63D
61788*	63D
61789*	65A
61790*	63D
61791*	63D
61792	65A
61793	65A
61794*	65A
61800	40B
61801	30A
61802	40B
61803	40B
61804	35A
61805	30A
61806	40B
61807	40A
61808	39A
61809	39A
61810	30A
61811	35A
61812	39A
61813	53A
61814	53A
61815	30A
61816	38A
61817	30A
61818	52B
61819	53A
61820	30A
61821	38A
61822	38A
61823	64A
61824	38A
61825	40B
61826	38A
61827	40B
61828	39A
61829	39A
61830	30A
61831	30A
61832	39A
61833	38A
61834	30A
61835	30A
61836	40B

61837	40B	61897	64A	61957	32A	62018	31B
61838	40B	61898	68E	61958	32C	62019	31B
61839	40B	61899	53A	61959	32C	62020	31B
61840	30A	61900	64A	61960	40A	62021	52C
61841	35A	61901	52D	61961	31B	62022	52C
61842	40B	61902	53A	61962	52D	62023	52C
61843	35A	61903	53A	61963	40A	62024	52C
61844	53A	61904	52B	61964	40A	62025	52C
61845	40B	61905	40B	61965	53A	62026	52C
61846	53A	61906	52B	61966	39A	62027	52C
61847	53A	61907	36A	61967	35A	62028	52C
61848	39A	61908	32A	61968	64A	62029	52C
61849	30A	61909	64A	61969	52B	62030	52C
61850	35A	61910	39A	61970	32A	62031	65A
61851	68E	61911	64A	61971	32A	62032	31B
61852	39A	61912	40B	61972	35A	62033	31B
61853	35A	61913	39A	61973	32C	62034	65A
61854	68E	61914	39A	61974	38B	62035	31B
61855	64A	61915	36A	61975	38B	62036	31B
61856	39A	61916	68E	61976	38B	62037	31B
61857	64A	61917	52D	61977	38A	62038	31B
61858	68E	61918	36A	61978	36A	62039	31B
61859	40A	61919	39A	61979	38B	62040	31B
61860	31B	61920	53A	61980	38B	62041	51E
61861	36A	61921	40A	61981	32A	62042	51E
61862	40A	61922	53A	61982	38A	62043	51E
61863	35A	61923	53A	61983	64A	62044	51A
61864	38A	61924	64A	61984	52B	62045	51A
61865	39A	61925	40A	61985	52D	62046	51A
61866	31B	61926	32C	61986	52B	62047	51A
61867	35A	61927	53A	61987	52B	62048	51G
61868	35A	61928	64A	61988	64A	62049	52A
61869	53A	61929	35A	61989	32A	62050	51G
61870	39A	61930	52D	61990	64A	62051	31B
61871	53A	61931	64A	61991	64A	62052	65A
61872	53A	61932	53A	61992	64A	62053	31B
61873	31B	61933	64A	61993*	65A	62054	31B
61874	53A	61934	53A	61994*	65A	62055	31B
61875	52B	61935	53A	61995*	63D	62056	51G
61876	64A	61936	68E	61996*	63D	62057	51G
61877	32A	61937	68E	61997*	65A	62058	51G
61878	64A	61938	31B	61998*	65A	62059	51G
61879	64A	61939	32A			62060	51E
61880	30A	61940	31B	62001	51A	62061	51G
61881	64A	61941	53A	62002	52C	62062	51A
61882	68E	61942	40A	62003	52A	62063	51A
61883	53A	61943	38B	62004	51A	62064	51E
61884	52B	61944	40A	62005	52A	62065	51E
61885	64A	61945	53A	62006	51A	62066	31B
61886	31B	61946	31B	62007	52A	62067	31B
61887	31B	61947	31B	62008	51A	62068	31B
61888	31B	61948	31B	62009	51A	62069	31B
61889	31B	61949	32C	62010	51A	62070	31B
61890	35A	61950	39A	62011	63D	62225	61C
61891	40B	61951	35A	62012	63D	62231	61C
61892	53A	61952	52B	62013	31B	62241	61A
61893	53A	61953	32A	62014	31B	62242	61C
61894	40A	61954	35A	62015	31B	62248	61C
61895	31B	61955	64A	62016	31B	62256	61C
61896	39A	61956	40B	62017	31B		

62260	61A	62430*	62A	62530	31A	62605	31B
62261	61A	62431*	62A	62531	31A	62606	32A
62262	61C	62432*	64G	62532	31A	62607	31E
62264	61C	62434*	62B	62533	32G	62608	32A
62265	61C	62435*	64G	62534	31C	62609	31D
62267	61C	62436*	62C	62535	31A	62610	32A
62268	61A	62437*	64B	62536	31A	62611	32D
62269	61C	62438*	62B	62539	31B	62612	32A
62270	61C	62439*	64F	62540	32A	62613	32D
62271	61C	62440*	64G	62541	31E	62614	31C
62272	61C	62441*	62C	62542	31B	62615	31A
62273*	61C	62442*	62A	62543	31A	62616	31A
62274*	61C	62462	65A	62544	32D	62617	32G
62275*	61C	62464	62C	62545	32C	62618	31A
62276*	61A	62467*	62A	62546*	32D	62619	32A
62277*	61C	62468*	62A	62548	31B	62620	32D
62278*	61A	62469*	65A	62549	31A	62650*	9G
62279*	61A	62470*	65A	62551	31A	62651*	9G
62281	68E	62471*	64A	62552	32B	62652*	9G
62343	50F	62472*	65A	62553	32A	62653*	9E
62345	50A	62474*	65A	62554	32A	62654*	9E
62347	51J	62475*	62A	62555	32A	62655*	8E
62349	52D	62477*	65A	62556	32A	62656*	9E
62351	52D	62478*	62A	62557	31C	62657*	9E
62352	52D	62479*	65A	62558	31C	62658*	9E
62355	52D	62480*	65A	62559	31C	62659*	9E
62358	52D	62482*	65A	62561	32F	62660*	9E
62359	51J	62483*	64A	62562	31A	62661*	9E
62360	52D	62484*	64A	62564	32F	62662*	9E
62371	52D	62485*	62B	62565	31C	62663*	9F
62372	51J	62487*	64A	62566	31E	62664*	9E
62373	51J	62488*	64A	62567	31A	62665*	9F
62374	50C	62489*	65A	62568	31A	62666*	9E
62375	52D	62490*	64A	62569	31C	62667*	9E
62378	50C	62492*	62A	62570	32A	62668*	9E
62380	52D	62493*	65A	62571	31A	62669*	9G
62381	50C	62494*	64A	62572	31B	62670*	9E
62383	52D	62495*	64F	62573	31C	62671*	65A
62384	50D	62496*	65A	62574	31A	62672*	65A
62386	50C	62497*	65A	62575	31C	62673*	65A
62387	52D	62498*	65A	62576	32D	62674*	65A
62388	51C	62509	32A	62577	32A	62675*	65A
62389	50B	62510	32A	62578	32G	62676*	64B
62392	50C	62511	32D	62579	31C	62677*	64B
62395	50C	62513	31E	62580	32D	62678*	64B
62396	52D	62514	31C	62581	32A	62679*	64B
62397	50B	62515	32G	62582	31C	62680*	65A
62411*	62A	62516	31C	62584	32A	62681*	65A
62418*	62A	62517	32D	62585	31A	62682*	65A
62419*	62A	62518	31A	62586	32D	62683*	64B
62420*	64G	62519	32G	62587	31A	62684*	65A
62421*	64A	62521	32D	62588	31B	62685*	64B
62422*	64G	62522	32A	62589	31B	62686*	65A
62423*	64G	62523	32A	62592	32F	62687*	65A
62424*	64A	62524	32D	62593	32A	62688*	65A
62425*	64G	62525	31C	62596	32F	62689*	65A
62426*	63B	62526	32B	62597	32D	62690*	64B
62427*	62B	62529	31B	62599	31A	62691*	64B
62428*	64G			62601	31C	62692*	64B
62429*	62A			62604	32D	62693*	64B

62694*	64B	62759*	50A	63364	51D	63424	51C
62700*	53B	62760*	50A	63365	54D	63425	50C
62701*	53D	62761*	50C	63366	54C	63426	51B
62702*	53D	62762*	50D	63367	51G	63427	54D
62703*	53D	62763*	50D	63368	51D	63428	52C
62704*	62A	62764*	50B	63369	51D	63429	50C
62705*	64B	62765*	50D	63370	51B	63430	51B
62706*	64B	62766*	53B	63371	51B	63431	54C
62707*	53D	62767*	53B	63372	54D	63432	52C
62708*	62A	62768*	50D	63373	51D	63433	54D
62709*	64A	62769*	50E	63374	51G	63434	54C
62710*	53B	62770*	50E	63375	51D	63435	51C
62711*	64A	62771*	52C	63376	51D	63436	50C
62712*	64A	62772*	50D	63377	54C	63437	54B
62713*	62A	62773*	50D	63378	50C	63438	51C
62714*	63B	62774*	50A	63379	54B	63439	54D
62715*	64A	62775*	50B	63380	51D	63440	50C
62716*	62A	62780	31A	63381	52C	63441	52C
62717*	53B	62781	31A	63382	50C	63442	51D
62718*	64A	62782	32A	63383	51C	63443	51G
62719*	64B	62783	31E	63384	54C	63444	54C
62720*	53B	62784	31A	63385	52C	63445	51B
62721*	64A	62785	31A	63386	54C	63446	51G
62722*	53B	62786	31A	63387	50C	63447	51B
62723*	53B	62787	32A	63388	51B	63448	50C
62724*	53B	62788	32A	63389	51B	63449	50C
62725*	63A	62789	32A	63390	52C	63450	50C
62726*	50A	62790	31A	63391	52C	63451	50C
62727*	50D	62791	30E	63392	51C	63452	51C
62728*	62B	62792	32A	63393	51D	63453	50C
62729*	62A	62793	32A	63394	52C	63454	51C
62730*	50A	62794	31A	63395	50C	63455	54D
62731*	50E	62795	31A	63396	51C	63456	54C
62732*	68E	62796	32A	63397	52C	63457	51C
62733*	64B	62797	32A	63398	52C	63458	54C
62734*	68E			63399	52C	63459	51D
62735*	50A	63340	51D	63400	54C	63460	54B
62736*	50C	63341	51B	63401	51C	63461	54B
62737*	53B	63342	54C	63402	51C	63462	54B
62738*	50D	63343	51B	63403	52C	63463	54B
62739*	50E	63344	51B	63404	54D	63464	54B
62740*	50C	63345	51B	63405	50C	63465	54B
62741*	53B	63346	54D	63406	51G	63466	54B
62742*	50B	63347	51B	63407	51G	63467	54B
62743*	64B	63348	50C	63408	54C	63468	54B
62744*	62B	63349	51D	63409	51D	63469	54B
62745*	50A	63350	54C	63410	51C	63470	54B
62746*	50A	63351	51D	63411	51D	63471	54B
62747*	52C	63352	51B	63412	52C	63472	54B
62748*	50B	63353	52C	63413	52C	63473	54B
62749*	50D	63354	54C	63414	51C	63474	54B
62750*	53D	63355	51C	63415	51C	63484	36E
62751*	50E	63356	52C	63416	51G	63570	40D
62752*	52C	63357	54D	63417	51D	63571	38B
62753*	50D	63358	54C	63418	54D	63572	36C
62754*	50D	63359	54B	63419	51C	63573	39A
62755*	50D	63360	51B	63420	51D	63574	39B
62756*	50E	63361	51C	63421	51C	63575	39A
62757*	53B	63362	50C	63422	51C	63576	36C
62758*	50D	63363	50C	63423	50C	63577	40E

63578	38B	63640	39B	63700	39A	63760	54B
63579	38B	63641	39A	63701	36B	63761	39A
63581	39B	63642	36C	63702	38D	63762	38D
63582	39A	63643	40E	63703	40E	63763	36D
63583	39B	63644	40E	63704	36B	63764	36A
63584	39B	63645	39B	63705	38D	63765	40E
63585	40E	63646	38B	63706	38D	63766	39B
63586	36B	63647	40B	63707	40E	63767	39A
63587	38D	63648	38D	63708	39A	63768	38B
63588	40D	63649	40B	63709	40E	63769	36A
63589	38B	63650	38B	63710	39B	63770	40B
63590	38B	63651	40B	63711	38B	63771	39B
63591	38B	63652	38B	63712	54B	63772	38D
63592	38B	63653	36C	63713	39A	63773	38B
63593	36B	63654	36E	63714	39B	63774	36B
63594	38B	63655	36C	63715	40E	63775	36B
63595	36C	63656	36D	63716	39A	63776	40E
63596	38B	63657	40B	63717	40E	63777	38B
63597	40E	63658	40B	63718	36C	63779	36B
63598	39A	63659	36C	63719	39A	63780	38B
63599	38A	63660	36C	63720	38D	63781	39A
63600	39A	63661	39B	63721	39A	63782	36E
63601	40B	63662	39A	63722	39A	63783	39B
63602	38A	63663	38B	63723	38A	63784	38B
63603	40E	63664	40E	63724	40E	63785	36E
63604	39B	63665	40E	63725	38B	63786	38B
63605	39B	63666	36B	63726	36C	63787	38D
63606	36C	63667	40E	63727	36D	63788	36C
63607	40B	63668	36B	63728	36C	63789	38B
63608	36E	63669	36D	63729	40B	63790	39B
63609	39B	63670	38B	63730	36B	63791	36B
63610	38B	63671	36C	63731	36C	63792	38B
63611	36B	63672	36B	63732	40E	63793	36C
63612	36B	63673	38A	63733	39B	63794	39A
63613	38D	63674	38B	63734	39B	63795	38B
63614	39A	63675	38D	63735	38A	63796	38B
63615	40E	63676	38B	63736	36E	63797	39B
63616	40B	63677	40D	63737	39B	63798	38B
63617	36C	63678	38B	63738	40B	63799	39A
63618	38A	63679	40E	63739	39A	63800	40E
63619	38B	63680	39B	63740	38B	63801	38A
63620	40B	63681	39A	63741	36C	63802	40B
63621	40B	63682	39B	63742	39A	63803	38B
63622	39B	63683	40E	63743	39A	63804	38A
63623	36D	63684	38A	63744	36C	63805	39A
63624	40B	63685	39B	63745	36C	63806	38B
63625	36D	63686	39A	63746	38B	63807	40B
63626	36C	63687	38B	63747	36C	63808	38B
63628	38A	63688	36E	63748	39A	63812	38A
63629	39B	63689	38B	63749	38D	63813	36B
63630	38B	63690	36C	63750	40E	63816	38A
63631	39A	63691	40D	63751	38A	63817	38B
63632	40E	63692	40B	63752	38B	63818	36C
63633	39A	63693	36B	63753	36B	63819	40B
63634	40D	63694	38D	63754	38A	63821	39B
63635	39A	63695	39A	63755	54B	63822	39B
63636	40E	63696	39A	63756	38A	63823	40B
63637	36E	63697	36D	63757	36B	63824	36D
63638	39A	63698	36B	63758	40E	63827	38D
63639	38B	63699	38A	63759	40E	63828	36B

63829	39A	63899	39A	63965	36E	64195	36A
63832	40B	63900	40B	63966	35B	64196	40F
63833	40E	63901	38B	63967	36A	64197	38A
63835	38A	63902	40E	63968	36A	64198	40F
63836	40B	63904	36D	63969	36A	64199	38A
63837	40E	63905	36E	63970	36E	64200	38A
63838	38B	63906	36C	63971	36A	64201	40F
63839	38A	63907	36D	63972	36E	64202	38A
63840	40E	63908	40B	63973	36A	64203	37C
63841	39A	63911	36C	63974	36A	64204	40F
63842	40E	63912	38A	63975	36A	64205	37C
63843	36B	63913	36D	63976	36E	64206	35B
63845	38A	63914	36E	63977	36A	64207	35A
63846	39B	63915	39A	63978	36A	64208	37A
63847	38D	63917	36C	63979	36A	64209	36A
63848	39A	63920	36C	63980	36A	64210	35A
63850	39B	63922	36C	63981	36B	64211	35A
63851	38B	63923	35B	63982	36B	64212	38A
63852	40D	63924	36E	63983	36B	64213	38A
63853	39A	63925	36E	63984	36B	64214	40F
63854	38B	63926	36E	63985	36B	64215	38A
63855	36A	63927	36E	63986	36A	64216	35A
63856	54B	63928	36A	63987	36A	64217	35A
63857	38A	63929	36A			64218	36A
63858	36A	63930	35B			64219	35A
63859	39A	63931	35B	64114	34D	64220	35A
63860	39B	63932	35B	64122	34D	64221	35A
63861	40D	63933	35B	64125	36E	64222	38A
63862	39A	63934	36C	64129	37A	64223	38A
63863	38B	63935	36B	64131	40F	64224	38A
63864	39A	63936	35B	64132	40F	64225	38A
63865	38B	63937	36C	64133	36E	64226	37C
63867	38B	63938	35B	64140	34D	64227	35B
63868	38B	63939	36C	64141	36A	64228	35A
63869	38B	63940	35B	64170	37C	64229	40F
63870	40E	63941	36A	64171	35A	64230	38A
63872	38B	63942	36A	64172	35A	64231	38A
63873	39A	63943	36A	64173	37B	64232	36A
63874	54B	63944	36C	64174	37A	64233	38A
63876	39A	63945	36A	64175	34D	64234	36E
63877	38A	63946	36A	64176	35A	64235	38A
63878	40B	63947	36A	64177	35A	64236	36A
63879	38B	63948	35B	64178	35B	64237	35B
63880	39A	63949	36B	64179	36A	64238	38A
63881	40B	63950	35B	64180	40F	64239	34B
63882	39B	63951	36A	64181	40F	64240	34D
63883	36D	63952	36A	64182	37A	64241	36E
63884	38D	63953	36A	64183	36A	64242	40F
63885	40D	63954	36A	64184	35A	64243	36A
63886	38B	63955	36A	64185	36A	64244	40F
63887	38B	63956	36A	64186	35B	64245	36E
63888	39B	63957	36A	64187	35B	64246	35A
63889	39B	63958	36A	64188	36A	64247	40F
63890	38B	63959	36A	64189	35A	64248	40F
63891	39A	63960	35B	64190	40F	64249	38A
63893	40E	63961	36A	64191	35A	64250	40F
63894	38B	63962	36A	64192	35A	64251	34E
63895	39A	63963	36C	64193	36A	64252	36E
63897	36B	63964	36A	64194	38A	64253	38A
63898	36B						

64254	35A	64314	40B	64374	36B	64434	39A
64255	36A	64315	40A	64375	34E	64435	39A
64256	34B	64316	39A	64376	9G	64436	36D
64257	38A	64317	38D	64377	36B	64437	39A
64258	36A	64318	38B	64378	40E	64438	34E
64259	35A	64319	36B	64379	40E	64439	40B
64260	40F	64320	40C	64380	36E	64440	39A
64261	36A	64321	40E	64381	6E	64441	39B
64262	36A	64322	39A	64382	39A	64442	36B
64263	36A	64323	40B	64383	39A	64443	39B
64264	36A	64324	38E	64384	38D	64444	38D
64265	35A	64325	40B	64385	36E	64445	39B
64266	35A	64326	39A	64386	38D	64446	40B
64267	37A	64327	38E	64387	39B	64447	39B
64268	37C	64328	40C	64388	38E	64448	36D
64269	38A	64329	34E	64389	40E	64449	36B
64270	36A	64330	38E	64390	38E	64450	39A
64271	37A	64331	38D	64391	36D	64451	36E
64272	40F	64332	39A	64392	40D	64452	36D
64273	38A	64333	39A	64393	36E	64453	9G
64274	37A	64334	36B	64394	39B	64460	65E
64275	35A	64335	36E	64395	36C	64461	65C
64276	37B	64336	38D	64396	38D	64462	64A
64277	37B	64337	40E	64397	27E	64463	64G
64278	35A	64338	6E	64398	36D	64464	62A
64279	36A	64339	36C	64399	36D	64466	62A
64280	36E	64340	36E	64400	36B	64468	64F
64281	40E	64341	36E	64401	39A	64470	65E
64282	36E	64342	39A	64402	36E	64471	68E
64283	36B	64343	36D	64403	36B	64472	65E
64284	40B	64344	40D	64404	36A	64473	62E
64285	36A	64345	38D	64405	8E	64474	62A
64286	39B	64346	39A	64406	38B	64475	62C
64287	36E	64347	36E	64407	36C	64476	62C
64288	36A	64348	36A	64408	40E	64477	62A
64289	40E	64349	36E	64409	39A	64478	68E
64290	36D	64350	40A	64410	36A	64479	64A
64291	39B	64351	40A	64411	40B	64480	62C
64292	38B	64352	36B	64412	39B	64481	61A
64293	40D	64353	40D	64413	39A	64482	62C
64294	39A	64354	38B	64414	40E	64483	62C
64295	36E	64355	40B	64415	39A	64484	64F
64296	36A	64356	36A	64416	36E	64485	61B
64297	40E	64357	39A	64417	36D	64486	64A
64298	39A	64358	40E	64418	38D	64487	62C
64299	40D	64359	40A	64419	39B	64488	62A
64300	38B	64360	39B	64420	8E	64489	64A
64301	38A	64361	38B	64421	36E	64490	64E
64302	36B	64362	36D	64422	36E	64491	64F
64303	40A	64363	39A	64423	36E	64492	64A
64304	39A	64364	38E	64424	40D	64493	62C
64305	40B	64365	40A	64425	36D	64494	64G
64306	39A	64366	36D	64426	40E	64495	62A
64307	40B	64367	9G	64427	40E	64496	62C
64308	36C	64368	39A	64428	38D	64497	63B
64309	36C	64369	38E	64429	36C	64498	65E
64310	40E	64370	38B	64430	40A	64499	68E
64311	39A	64371	40A	64431	38B	64500	62A
64312	40B	64372	40B	64432	36B	64501	63B
64313	38E	64373	39B	64433	38E	64502	64E
						64503	62A
						64504	64F

64505	62C	64566	64A	64626	65C	64686	30A
64506	64A	64567	62C	64627	62B	64687	31B
64507	65E	64568	62C	64628	65A	64688	31A
64509	64G	64569	63B	64629	62A	64689	31A
64510	64F	64570	64E	64630	62C	64690	30A
64511	68E	64571	64E	64631	62B	64691	30A
64512	64F	64572	64A	64632	65A	64692	31B
64513	62C	64573	65C	64633	65A	64693	31B
64514	65C	64574	62B	64634	62B	64694	31B
64515	64A	64575	62B	64635	62A	64695	30A
64516	62A	64576	64A	64636	64E	64696	30A
64517	64A	64577	64A	64637	65A	64697	31B
64518	64A	64578	65A	64638	65A	64698	31B
64519	64A	64579	65E	64639	65A	64699	30B
64520	63B	64580	65A	64640	31B	64700	52C
64521	62A	64581	65A	64641	31B	64701	52A
64522	62A	64582	64A	64642	31B	64702	40A
64523	64A	64583	64F	64643	31B	64703	53A
64524	64A	64584	65C	64644	32A	64704	52C
64525	62C	64585	63B	64645	30E	64705	52A
64526	68E	64586	64A	64646	31D	64706	40D
64527	64A	64587	62B	64647	30E	64707	52A
64528	64E	64588	64E	64648	31B	64708	30A
64529	64F	64589	64E	64649	30E	64709	53A
64530	62B	64590	62C	64650	30E	64710	54C
64531	65E	64591	64C	64651	30E	64711	52D
64532	64A	64592	64E	64652	30E	64712	39A
64533	64A	64593	64E	64653	30E	64713	53A
64534	65E	64594	64A	64654	31A	64714	39A
64535	64A	64595	64A	64655	31B	64715	53A
64536	64C	64596	62A	64656	30A	64716	38A
64537	64E	64597	62A	64657	30A	64717	39A
64538	64A	64598	62B	64658	31A	64718	39A
64539	64G	64599	64A	64659	30E	64719	38A
64540	65A	64600	64A	64660	30A	64720	37A
64541	65A	64601	64F	64661	31B	64721	36A
64542	63B	64602	62A	64662	30A	64722	40A
64543	64A	64603	64A	64663	30A	64723	9F
64544	63B	64604	62C	64664	30A	64724	32A
64545	62C	64605	64A	64665	30A	64725	53A
64546	62A	64606	64A	64666	30E	64726	32A
64547	64C	64607	64A	64667	30E	64727	68E
64548	65E	64608	64A	64668	31B	64728	40A
64549	62A	64609	65C	64669	31B	64729	37A
64550	62A	64610	65C	64670	30A	64730	50B
64551	64E	64611	65A	64671	31B	64731	32A
64552	64A	64612	62A	64672	31B	64732	37A
64553	64F	64613	64A	64673	31A	64733	68E
64554	62C	64614	64A	64674	32A	64734	40A
64555	64A	64615	62B	64675	30A	64735	38A
64556	62C	64616	62A	64676	30A	64736	40A
64557	64A	64617	62C	64677	30A	64737	36A
64558	65A	64618	62A	64678	34B	64738	39A
64559	65C	64619	62B	64679	34B	64739	38A
64560	62C	64620	62B	64680	30A	64740	39A
64561	62C	64621	65C	64681	30A	64741	39A
64562	64A	64622	65A	64682	30A	64742	39A
64563	65C	64623	65A	64683	31A	64743	39A
64564	62A	64624	64A	64684	34B	64744	39A
64565	62A	64625	64A	64685	30A	64745	39A

64746	39B	64806	37A	64866	50D	64926	54C
64747	38A	64807	38A	64867	50F	64927	54C
64748	39A	64808	39B	64868	52D	64928	53A
64749	37A	64809	39B	64869	52A	64929	54C
64750	38A	64810	39A	64870	54C	64930	68E
64751	37A	64811	37A	64871	52A	64931	54C
64752	32B	64812	52C	64872	37A	64932	68E
64753	39B	64813	52D	64873	30F	64933	50B
64754	37A	64814	52C	64874	30F	64934	50B
64755	39A	64815	52D	64875	68E	64935	50B
64756	51F	64816	52C	64876	37A	64936	54C
64757	37A	64817	51D	64877	68E	64937	40A
64758	50B	64818	50D	64878	39B	64938	50D
64759	36E	64819	50B	64879	37A	64939	54C
64760	37A	64820	37A	64880	68E	64940	51D
64761	32A	64821	51D	64881	40A	64941	54C
64762	38A	64822	62B	64882	32A	64942	50D
64763	37A	64823	38A	64883	40A	64943	50B
64764	30A	64824	39B	64884	68E	64944	50D
64765	30A	64825	37A	64885	36A	64945	52B
64766	30A	64826	32B	64886	50B	64946	64A
64767	30A	64827	38A	64887	40A	64947	53A
64768	30A	64828	38A	64888	68E	64948	68E
64769	30A	64829	32B	64889	32A	64949	50B
64770	30F	64830	36E	64890	39B	64950	62B
64771	30A	64831	37A	64891	38A	64951	36A
64772	30A	64832	38A	64892	62B	64952	36A
64773	30F	64833	37A	64893	36E	64953	30F
64774	30A	64834	32B	64894	32B	64954	9G
64775	30A	64835	50B	64895	68E	64955	38A
64776	30A	64836	37A	64896	37A	64956	36E
64777	30F	64837	37A	64897	54C	64957	32B
64778	51F	64838	38A	64898	36E	64958	30A
64779	37A	64839	37A	64899	68E	64959	30A
64780	30A	64840	37A	64900	32A	64960	39B
64781	30A	64841	32B	64901	9G	64961	36E
64782	30A	64842	52C	64902	36A	64962	39B
64783	30A	64843	52D	64903	37C	64963	64A
64784	30A	64844	52D	64904	53A	64964	68E
64785	32B	64845	50D	64905	32B	64965	38A
64786	62B	64846	54C	64906	36E	64966	37A
64787	30F	64847	51D	64907	37C	64967	36A
64788	30F	64848	51F	64908	36E	64968	32A
64789	40A	64849	52C	64909	36A	64969	37A
64790	62B	64850	51D	64910	51D	64970	36E
64791	50B	64851	52C	64911	37A	64971	53A
64792	62B	64852	52A	64912	68E	64972	37A
64793	32B	64853	52A	64913	32A	64973	39B
64794	64A	64854	52D	64914	53A	64974	38A
64795	61B	64855	50D	64915	52B	64975	61B
64796	37A	64856	52B	64916	51C	64976	38A
64797	32A	64857	50D	64917	52D	64977	40A
64798	38A	64858	52C	64918	37A	64978	51C
64799	37A	64859	50D	64919	54C	64979	37A
64800	32B	64860	50D	64920	50B	64980	38A
64801	37A	64861	50D	64921	54C	64981	38A
64802	32A	64862	51D	64922	52B	64982	51A
64803	30A	64863	50B	64923	52B	64983	38A
64804	40A	64864	54C	64924	52D	64984	40A
64805	38A	64865	52A	64925	52D	64985	37A

64986	64A	65142	8E	65210	65E	65295	65C
64987	36E	65143	6D	65211	64F	65296	65A
64988	38A	65144	10A	65213	61B	65297	61B
		65145	9F	65214	65E	65300	63D
65002	35A	65146	9F	65216*	68E	65303	64F
65003	34D	65147	9G	65217*	65E	65304	68E
65004	38A	65148	10A	65218	62A	65305	64A
65010	34D	65149	8E	65221	65A	65306	64E
65013	34D	65153	8E	65222*	64E	65307	62C
65014	38A	65154	9F	65224*	64A	65309	62B
65015	38A	65156	9G	65225	64F	65310	64A
65016	40F	65157	9F	65227	65I	65311	64C
65017	40F	65158	9G	65228	65A	65312	68E
65018	38A	65159	10A	65229	64F	65313	63D
65019	38A	65160	9F	65230	64F	65314	64F
65020	40F	65161	9E	65232	64G	65315	65I
65022	38A	65162	10A	65233*	64E	65316	64G
65023	38A	65163	8E	65234	64F	65317	64G
65033	52C	65164	10A	65235*	64B	65318	64F
65035	52F	65165	9G	65236*	65E	65319	62B
65038	51J	65166	9G	65237	63D	65320	62C
65039	52C	65167	6D	65239	62C	65321	68E
65040	51H	65168	9E	65241	64E	65323	62C
65042	52C	65169	9G	65242	64G	65324	65C
65047	51H	65170	10A	65243*	64B	65325	65E
65061	51F	65171	9G	65244	64E	65327	64A
65062	51F	65172	8E	65246	64E	65329	64D
65064	51F	65173	10A	65247	61A	65330	62B
65068	51A	65175	10A	65248	64F	65331	64G
65070	36E	65176	10A	65249	65E	65333	64F
65075	52C	65177	27E	65250	64F	65334	64A
65077	51F	65178	9F	65251	64A	65335	65C
65078	51F	65179	9E	65252	62A	65338	64E
65082	52D	65180	27E	65253*	62C	65339	65I
65088	51F	65181	9F	65257	64E	65341	64F
65089	51A	65182	8E	65258	64A	65342	64F
65090	52C	65184	9E	65259	64G	65343	65E
65091	51F	65185	9F	65260	65E	65344	64F
65092	51F	65186	9E	65261	64F	65345	62A
65097	51F	65187	9G	65264	65E	65346	64F
65098	51A	65188	9F	65265	64F	65356	31B
65099	52F	65189	10A	65266	65E	65359	31C
65100	51H	65190	9G	65267	64F	65361	32B
65103	51A	65191	9G	65268*	64F	65370	30A
65110	52B	65192	27E	65270	65A	65384	30A
65117	36A	65193	9F	65271	64C	65388	32B
65119	52C	65194	9F	65273	65A	65389	32C
65126	8E	65196	10A	65275	64E	65390	31B
65130	27E	65197	9F	65276	64F	65391	31A
65131	9G	65198	9F	65277	64F	65404	32B
65132	9F	65199	10A	65280	64F	65405	31A
65133	27E	65200	9F	65281	62C	65417	32A
65134	9G	65201	9E	65282	64E	65420	31E
65135	9F	65202	9G	65283	65C	65422	32B
65136	8E	65203	10A	65285	65E	65424	30E
65138	9G	65204	9E	65287	65E	65425	31A
65139	9G	65205	9E	65288	64A	65430	32B
65140	9G	65208	9G	65290	64E	65432	30E
65141	9E	65209	9F	65293	68E	65433	32C

65434 30F	65497 38A	65558 32C	65690 50G
65435 32C	65498 38A	65559 32C	65691 50A
65438 31A	65499 38A	65560 32B	65692 51A
65440 30A	65500 30A	65561 31A	65693 51J
65441 30E	65501 31C	65562 31A	65694 54B
65442 31E	65502 31A	65563 31A	65695 51H
65443 30E	65503 31B	65564 30E	65696 51F
65444 30A	65504 31C	65565 31A	65697 52B
65445 30E	65505 31A	65566 33A	65698 50C
65446 30A	65506 31A	65567 32A	65699 54B
65447 32B	65507 32A	65568 32A	65700 50A
65448 30E	65508 30A	65569 32A	65702 51A
65449 30A	65509 32F	65570 32A	65705 54C
65450 31A	65510 32B	65571 31B	65706 51F
65451 31A	65511 30A	65572 30A	65708 50F
65452 30A	65512 31A	65573 31B	65710 51A
65453 30F	65513 30A	65574 32A	65712 51A
65454 30A	65514 32C	65575 31A	65713 54B
65455 30A	65515 31B	65576 31B	65714 50F
65456 30E	65516 32A	65577 31B	65716 54B
65457 31A	65517 31A	65578 32B	65717 51H
65458 30F	65518 30A	65579 31B	65720 51J
65459 32B	65519 31C	65580 31B	65723 50F
65460 32A	65520 31A	65581 32F	65726 51J
65461 31A	65521 31C	65582 31C	65727 52D
65462 32C	65522 30E	65583 31B	65728 54C
65463 30A	65523 30A	65584 31A	65730 51B
65464 30A	65524 32A	65585 31C	65731 51B
65465 30E	65525 31A	65586 32C	65732 51B
65466 30A	65526 31C	65587 31A	65733 51B
65467 32B	65527 31A	65588 33A	65734 51B
65468 30E	65528 30C	65589 31A	65735 51B
65469 32A	65529 31A	65645 51J	65736 51B
65470 30E	65530 31C	65647 50G	65737 51D
65471 32A	65531 30E	65648 50F	65738 51B
65472 32A	65532 31A	65650 50A	65739 51E
65473 30E	65533 33A	65654 51E	65740 51B
65474 31A	65534 32A	65655 51H	65741 51B
65475 31A	65535 31A	65656 50F	65742 51B
65476 30A	65536 30A	65657 54C	65743 51B
65477 31A	65537 31A	65660 51G	65744 51B
65478 32C	65538 31B	65661 54C	65745 51B
65479 30E	65539 30E	65662 51F	65746 51B
65480 38A	65540 30A	65663 50G	65747 51C
65481 38A	65541 30A	65664 51A	65748 51C
65482 34D	65542 31C	65666 54B	65749 51B
65483 38A	65543 30C	65667 52C	65750 51B
65484 38A	65544 33C	65670 54B	65751 51B
65485 38C	65545 31A	65671 50F	65752 51B
65486 38A	65546 31A	65673 51H	65753 51B
65487 38A	65547 31C	65675 50C	65754 51B
65488 38A	65548 31E	65676 54C	65755 51B
65489 38A	65549 31C	65677 50A	65756 51B
65490 38A	65551 32A	65680 54C	65757 51B
65491 38A	65552 33A	65683 50C	65758 51B
65492 38A	65553 32A	65685 54C	65759 51B
65493 38A	65554 31B	65686 54C	65760 51B
65494 38A	65555 31B	65687 50A	65761 51B
65495 38C	65556 31B	65688 51A	65762 51B
65496 38A	65557 32G	65689 51E	65763 51B

65764	51E	65824	52F	65884	51K	67189	30E
65765	51B	65825	50A	65885	50A	67190	30E
65766	51B	65826	52E	65886	52F	67191	30E
65767	51B	65827	50A	65887	50A	67192	30A
65768	51B	65828	52F	65888	50C	67193	30A
65769	51B	65829	52F	65889	52E	67194	30E
65770	51B	65830	51G	65890	50A	67195	30A
65771	51E	65831	52E	65891	50C	67196	30E
65772	51B	65832	54A	65892	52F	67197	30A
65773	51B	65833	54A	65893	52B	67198	30A
65774	51B	65834	52F	65894	50A	67199	32D
65775	51D	65835	54A	65900	62C	67200	30A
65776	51D	65836	54A	65901	62A	67201	32C
65777	51B	65837	52E	65902	62A	67202	30A
65778	51B	65838	52E	65903	62A	67203	30A
65779	51D	65839	52E	65904	62A	67204	30A
65780	52E	65840	54A	65905	62C	67205	30A
65781	52F	65841	54A	65906	64A	67206	30A
65782	51C	65842	52E	65907	62A	67207	30A
65783	52F	65843	54A	65908	62A	67208	30A
65784	52E	65844	50A	65909	64E	67209	30A
65785	54A	65845	50A	65910	62A	67210	30A
65786	52F	65846	51C	65911	62A	67211	30A
65787	51G	65847	54A	65912	64A	67212	30A
65788	51E	65848	50A	65913	62A	67213	30A
65789	52F	65849	50A	65914	64A	67214	30A
65790	51C	65850	54A	65915	64A	67215	30A
65791	52E	65851	52F	65916	62C	67216	32C
65792	52F	65852	52E	65917	64E	67217	30A
65793	50C	65853	51G	65918	64A	67218	32D
65794	52F	65854	54A	65919	64A	67219	30A
65795	52E	65855	51G	65920	64A	67220	32B
65796	52E	65856	52A	65921	62A	67221	31A
65797	52F	65857	50C	65922	62C	67222	31A
65798	54A	65858	52E	65923	62C	67223	32F
65799	52F	65859	51G	65924	62C	67224	32G
65800	52F	65860	51B	65925	62A	67225	32G
65801	52F	65861	50A	65926	62C	67226	32F
65802	52E	65862	52F	65927	64A	67227	31A
65803	51C	65863	52B	65928	62C	67228	32G
65804	52F	65864	52B	65929	64A	67229	32G
65805	51G	65865	51G	65930	62C	67230	32B
65806	52E	65866	51C	65931	62A	67231	32C
65807	52E	65867	52F	65932	62A	67232	32C
65808	52F	65868	51E	65933	62C	67233	32F
65809	52E	65869	52B	65934	62C	67234	32F
65810	52F	65870	52F			67235	32F
65811	52F	65871	54A	67127	32C	67236	31B
65812	52E	65872	54A	67157	61A	67237	31E
65813	52F	65873	52B	67158	32C	67238	31E
65814	52E	65874	50A	67162	32E	67239	32B
65815	52E	65875	50C	67167	32C	67240	50B
65816	51C	65876	52F	67174	32C	67241	52C
65817	54A	65877	52F	67176	32C	67242	51E
65818	51C	65878	52F	67178	32C	67243	54A
65819	52F	65879	52F	67182	32B	67244	52A
65820	51C	65880	52F	67184	32C	67246	52C
65821	52E	65881	50C	67186	32C	67247	54A
65822	52F	65882	50C	67187	32C	67248	52C
65823	54A	65883	50A	67188	30A	67249	52C

67250	50C	67316	52C	67387	32D	67450	39A
67251	54A	67318	51F	67389	35A	67451	39A
67252	52B	67319	50B	67390	35A	67452	62A
67253	53B	67320	52A	67391	53B	67453	62C
67254	53B	67321	53B	67392	53B	67454	65A
67256	53B	67322	31A	67393	53B	67455	61B
67257	54A	67323	52C	67394	53B	67456	65A
67258	54A	67324	51C	67395	53B	67457	64G
67259	52C	67325	52C	67397	53B	67458	68E
67260	54A	67326	52F	67398	40C	67459	64G
67261	52F	67327	61A	67400	6D	67460	65A
67262	50B	67328	54A	67401	39A	67461	62B
67263	54A	67329	52A	67402	39A	67462	63B
67265	52C	67330	50F	67403	39A	67463	64E
67266	50B	67331	51J	67404	39B	67464	64E
67267	54A	67332	50F	67405	39A	67465	64G
67268	52C	67333	51A	67406	39B	67466	62B
67269	31A	67334	52F	67407	39A	67467	65E
67270	52B	67335	50G	67408	39A	67468	64E
67271	51C	67336	54A	67409	36D	67469	62C
67272	51C	67337	53B	67410	38D	67470	65C
67273	51A	67338	51D	67411	36D	67471	62B
67274	50B	67339	52C	67412	39A	67472	64G
67275	50F	67340	53B	67413	6D	67473	64E
67276	54A	67341	52F	67414	6D	67474	68E
67277	52C	67342	51F	67415	39A	67475	65A
67278	51F	67343	51C	67416	34E	67476	62A
67279	31A	67344	51J	67417	39A	67477	64G
67280	53B	67345	51E	67418	34E	67478	61B
67281	51D	67346	51A	67419	38D	67479	65C
67282	53B	67347	52F	67420	34E	67480	65A
67283	54A	67348	54A	67421	39A	67481	68E
67284	51A	67349	50F	67422	39A	67482	65C
67286	50C	67350	40F	67423	39A	67483	62B
67287	61A	67352	40C	67424	39A	67484	62B
67288	51E	67353	37B	67425	39A	67485	65A
67289	50B	67354	53B	67426	39A	67486	62B
67290	50B	67357	35A	67427	39A	67487	65C
67291	51J	67360	31A	67428	6E	67488	65B
67292	61C	67361	35A	67429	6E	67489	62B
67293	50C	67362	35C	67430	6E	67490	62B
67294	51C	67363	38B	67431	39A	67491	62B
67295	52F	67364	40C	67432	6E	67492	64A
67296	52F	67365	35A	67433	6D	67493	62B
67297	54A	67366	9E	67434	36D	67494	64A
67298	54A	67367	31A	67435	6E	67495	64A
67300	54A	67368	35A	67436	6D	67496	61B
67301	53B	67369	9E	67437	39A	67497	64A
67302	50G	67371	53B	67438	39A	67498	62B
67303	52D	67372	37B	67439	39A	67499	62B
67304	52B	67374	31C	67440	37A	67500	65C
67305	51E	67375	31B	67441	39A	67501	61B
67307	54A	67376	35A	67442	6E	67502	62B
67308	50B	67379	40C	67443	37A	67600	65A
67309	52C	67380	35B	67444	37A	67601	65I
67310	54A	67382	35B	67445	37A	67602	65A
67311	52B	67383	40C	67446	37A	67603	65A
67312	51F	67384	40C	67447	39A	67604	65C
67314	51C	67385	31A	67448	39A	67605	64A
67315	52C	67386	31C	67449	6E	67606	64A

24

67607	64A	67667	61A	67736	30A	67796	34A
67608	64A	67668	64A	67737	30A	67797	34A
67609	64A	67669	62C	67738	30C	67798	32A
67610	64B	67670	64A	67739	30A	67799	34A
67611	65H	67671	61A	67740	34D	67800	34A
67612	65C	67672	62C	67741	34D		
67613	65H	67673	52D	67742	51A	68006	6F
67614	65H	67674	65E	67743	34D	68007	51B
67615	65H	67675	63B	67744	34D	68008	51A
67616	65H	67676	65C	67745	34D	68009	40B
67617	64A	67677	51D	67746	34D	68010	52C
67618	65E	67678	65C	67747	34E	68011	51B
67619	65C	67679	65C	67748	34E	68012	39A
67620	64B	67680	65A	67749	34E	68013	6C
67621	65C	67681	65C	67750	51A	68014	52B
67622	65C	67682	51E	67751	34E	68015	51A
67623	65C	67683	52A	67752	34E	68016	54A
67624	64A	67684	51D	67753	34E	68017	54A
67625	65H	67685	51D	67754	51A	68018	40B
67626	65C	67686	51D	67755	53B	68019	54D
67627	65E	67687	52A	67756	34B	68020	40B
67628	65C	67688	52A	67757	34B	68021	52B
67629	64A	67689	52A	67758	34E	68022	40B
67630	64A	67690	52A	67759	53B	68023	51B
67631	65H	67691	51D	67760	34E	68024	54A
67632	65H	67701	30A	67761	34E	68025	51A
67633	65C	67702	32B	67762	34E	68026	40B
67634	52A	67703	32B	67763	53B	68027	51A
67635	52B	67704	32B	67764	53B	68028	40B
67636	52C	67705	32B	67765	53B	68029	50A
67637	51D	67706	32B	67766	53B	68030	6C
67638	51D	67707	34E	67767	34E	68031	50A
67639	51D	67708	32B	67768	34E	68032	50A
67640	52B	67709	32B	67769	34E	68033	40B
67641	52B	67710	32B	67770	34E	68034	6C
67642	52B	67711	32B	67771	34E	68035	52C
67643	65C	67712	30A	67772	34E	68036	52C
67644	65A	67713	30C	67773	34E	68037	51B
67645	52B	67714	34E	67774	34E	68038	52C
67646	52B	67715	34E	67775	34B	68039	51A
67647	52B	67716	32B	67776	34E	68040	50A
67648	65C	67717	34E	67777	51A	68041	54A
67649	64A	67718	34E	67778	34E	68042	50A
67650	63B	67719	32B	67779	34E	68043	51A
67651	52B	67720	34E	67780	34E	68044	50A
67652	52B	67721	30A	67781	34E	68045	51A
67653	52C	67722	30A	67782	34E	68046	50A
67654	52B	67723	30A	67783	34E	68047	51A
67655	65C	67724	30A	67784	34E	68048	54A
67656	52C	67725	30A	67785	34E	68049	51B
67657	52C	67726	30A	67786	34E	68050	51A
67658	52C	67727	30A	67787	32B	68051	50A
67659	64A	67728	30A	67788	32A	68052	51A
67660	65E	67729	30A	67789	32A	68053	51C
67661	65C	67730	30A	67790	34D	68054	51C
67662	65C	67731	30A	67791	34D	68055	51C
67663	51D	67732	30A	67792	30A	68056	51C
67664	65A	67733	30A	67793	34A	68057	51C
67665	65E	67734	30A	67794	32C	68058	54A
67666	64A	67735	30A	67795	32C	68059	52C

25

68060	51B	68128	30A	68217	31C	68296	53A
68061	50A	68129S	30A	68219	32D	68297	50A
68062	51B	68130S	32C	68220	32B	68298	53A
68063	6F	68131S	32C	68222	31C	68299	54C
68064	39A	68132S	36A	68223	31C	68300	51A
68065	6F	68133S	35A	68225	31C	68301	51C
68066	6F	68136S	51A	68226	30E	68303	51D
68067	39A	68137	53A	68230	50A	68304	53A
68068	40B	68138	64G	68232	53A	68305	51E
68069	40B	68140	53A	68233	51A	68306	51C
68070	40B	68142	51A	68234	52B	68307	51D
68071	39A	68143	50C	68235	51A	68308	51A
68072	40B	68144	51E	68236	51A	68309	52A
68073	40B	68145	51F	68238	20D	68312	51D
68074	40B	68146	52A	68239	51A	68313	50A
68075	40B	68148	53D	68240	50A	68314	52A
68076	40B	68149	51F	68242	53A	68316	53A
68077	40B	68150	50F	68244	51C	68320	64A
68078	40B	68151	53B	68245	52B	68321	62A
68079	39A	68152S	50A	68246	50A	68322	62A
68080	40B	68153S	51A	68249	51F	68323	62A
68083	31C	68154	52A	68250	50A	68324	64E
68088S	30A	68155	53D	68251	52A	68325	64A
68091	50A	68156	50C	68252	53A	68326	65A
68092	64A	68157	50F	68253	50A	68327	65A
68093	64A	68158	50C	68254	51F	68328	64B
68094	65E	68159	51J	68255	51F	68329	65E
68095	64A	68160	52A	68256	52B	68330	65A
68096	64A	68161	50F	68258	51C	68331	65E
68097	64A	68162	6E	68259	51A	68332	62A
68098	64A	68164	6E	68262	52B	68333	65A
68099	64A	68165S	36A	68263	51C	68334	64A
68100	62B	68166S	40F	68264	52B	68335	62A
68101	62C	68168S	32C	68265	52B	68336	65A
68102	64A	68169	39A	68266	54B	68337	62A
68103	65A	68174	40B	68267	52C	68338	64A
68104	64E	68176	39B	68268	50C	68339	64B
68105	64A	68177S	32C	68269	51F	68340	64A
68106	65E	68178S	32C	68270	52A	68341	62A
68107	62B	68179	40B	68271	52B	68342	64A
68108	62B	68180	52A	68272	54B	68343	65E
68109	65A	68181S	54B	68273	52C	68344	66B
68110	62B	68182	51A	68275	50A	68345	62C
68111	64A	68183	53A	68276	51C	68346	62C
68112	65G	68184	39B	68278	52C	68347	62A
68113	64E	68185	35A	68279	51A	68348	64A
68114	62B	68190	61A	68280	50A	68349	65A
68115	64A	68191	61A	68281	51C	68350	64E
68116	65E	68192	61A	68282	50A	68351	62C
68117	65E	68193	61A	68283	52A	68352	64A
68118	65A	68204	40B	68284	52D	68353	62A
68119	64A	68205	40B	68287	54C	68354	64E
68120	65E	68206	40B	68289	54C	68355	51C
68121	65E	68207	40B	68290	51C	68356	50C
68122	64A	68208	40B	68291	51C	68357	50C
68123	62B	68209	6E	68292	51C	68358	51C
68124	65A	68210	40B	68293	50A	68359	51J
68125	30A	68211	32B	68294	20D	68360	53C
68126	30A	68214	32F	68295	51C	68361	53C
68127	30A	68216	32B				

68362	50C	68454	64A	68524	64E	68588	30A
68363	53C	68455	62B	68525	40A	68589	30A
68364	51C	68456	62A	68526	30A	68590	30A
68370S	30A	68457	64B	68527	30A	68591	30A
68371	38D	68458	62A	68528	40A	68592	38D
68374	32B	68459	62A	68529	40A	68593	32B
68375	32B	68460	64B	68530	31A	68594	30A
68378	31D	68461	65E	68531	6E	68595	9E
68382S	38D	68463	64A	68532	30A	68596	30A
68383	31A	68464	64A	68533	68B	68597	31D
68391	51F	68465	62B	68534	30A	68598	9E
68392	50D	68466	62B	68535	62A	68599	40A
68393	50D	68467	62A	68536	32G	68600	31C
68395	50B	68468	65A	68537	40A	68601	30F
68397	52F	68469	64A	68538	30A	68602	32A
68398	52F	68470	62B	68540	9E	68603	32A
68399	52F	68471	64E	68541	34D	68605	34D
68401	53B	68472	64A	68542	31D	68606	30A
68402	53C	68473	64B	68543	40F	68607	30A
68405	52F	68474	64A	68544	64E	68608	30A
68406	50C	68475	65A	68545	31C	68609	31A
68407	51E	68476	65A	68546	30A	68610	40A
68408	51A	68477	64A	68547	8D	68611	32C
68409	51D	68478	64B	68548	30A	68612	30A
68410	51A	68479	65A	68549	30A	68613	30A
68412	51E	68480	65A	68550	30A	68616	30A
68413	53C	68481	64B	68551	65G	68617	30A
68414	52F	68490	31C	68552	30A	68618	40A
68417	52F	68491	30A	68553	40A	68619	30A
68420	51E	68492	64A	68554	30A	68621	30A
68421	52D	68493	31C	68555	32B	68623	32G
68422	51D	68494	32A	68556	30A	68625	32D
68423	51A	68495	32A	68557	30A	68626	30A
68424	52F	68496	30A	68558	40A	68628	32D
68425	51D	68497	31E	68559	8E	68629	30A
68426	52F	68498	32B	68560	40F	68630	30A
68427	52F	68499	8E	68561	30F	68631	30A
68428	52F	68500	30F	68562	68B	68632	30A
68429	53C	68501	32A	68563	30A	68633	30A
68430	52D	68502	31C	68565	30A	68635	62A
68431	52F	68503	65C	68566	31D	68636	30E
68432	51A	68504	62A	68567	32B	68638	30E
68434	50D	68505	64A	68568	33A	68639	30A
68435	53C	68507	30A	68569	30A	68640	32C
68436	50B	68508	30A	68570	32A	68641	32A
68437	52D	68509	31A	68571	30A	68642	30A
68438	50D	68510	30A	68572	32B	68643	30F
68440	52B	68511	65D	68573	30A	68644	39A
68442	65E	68512	34D	68574	30A	68645	31A
68443	65E	68513	30A	68575	30A	68646	30A
68444	65E	68514	31C	68576	30A	68647	30A
68445	65E	68515	31C	68577	30A	68648	33A
68446	62B	68516	31A	68578	30E	68649	30F
68447	65A	68517	30A	68579	31A	68650	30A
68448	64A	68518	32B	68581	40F	68651	32F
68449	64A	68519	30A	68583	9E	68652	30A
68450	64A	68520	30A	68584	6E	68653	30A
68451	62A	68521	30A	68585	27E	68654	30A
68452	62B	68522	30E	68586	32A	68655	40F
68453	62A	68523	30A	68587	40A	68656	31C

68657	40F	68718	54A	68785	34B	68848	37A
68658	40F	68719	61A	68786	35A	68849	36A
68659	40F	68720	52A	68787	34B	68850	35A
68660	30A	68721	51D	68788	34B	68851	34B
68661	30F	68722	50A	68790	37A	68852	35A
68662	30A	68723	52A	68791	34B	68853	34B
68663	30A	68724	53C	68793	34B	68854	34A
68664	31B	68725	52B	68794	34B	68855	34A
68665	30A	68726	50A	68795	34B	68856	34B
68666	30A	68727	6F	68796	34B	68857	36A
68667S	30A	68728	54C	68797	34A	68858	36A
68668S	30A	68729	54B	68798	35B	68859	38A
68670	53C	68730	54C	68799	34A	68860	36A
68671	6E	68731	54B	68800	36A	68861	34A
68672	50B	68732	52A	68802	34A	68862	34A
68673	53C	68733	65A	68803	34A	68863	38A
68674	52A	68734	51C	68804	36A	68864	34A
68675	52A	68735	50A	68805	34A	68865	36A
68676	53C	68736	54C	68806	36A	68866	35A
68677	50A	68737	54C	68807	38A	68867	34C
68678	54A	68738	52B	68808	34B	68868	35A
68679	51A	68739	50A	68809	34A	68869	36A
68680	52A	68740	51D	68810	38A	68870	36A
68681	50B	68741	50A	68811	34B	68871	37A
68682	52B	68742	52B	68812	38A	68872	37A
68683	51C	68743	53C	68813	36A	68873	38A
68684	51C	68744	52A	68814	38A	68874	34A
68685	51C	68745	50A	68815	34B	68875	38A
68686	53C	68746	53C	68816S	36A	68876	35A
68687	52B	68747	53C	68817	35A	68877	35B
68688	51D	68748	51A	68818	34A	68878	34A
68689	51D	68749	61A	68819	35A	68879	35A
68690	51D	68750	61A	68820	35A	68880	35A
68691	51F	68751	53C	68821	35A	68881	34A
68692	51C	68752	53C	68822	34A	68882	38A
68693	52A	68753	53C	68823	35A	68883	34B
68694	51C	68754	51D	68824	35A	68884	34A
68695	50A	68757	34A	68825	34B	68885	34C
68696	51F	68758	34B	68826	34B	68886	36A
68697	51C	68759	34B	68827	34A	68887	38A
68698	54A	68760	34B	68828	35A	68888	34A
68699	50A	68761	34A	68829	34A	68889	34A
68700	61A	68764	34A	68830	34A	68890	36A
68701	6F	68765	35A	68831	34A	68891	38A
68702	52B	68768	38A	68832	34A	68892	37C
68703	51C	68769	36A	68833	34B	68893	40B
68704	54A	68770	34B	68834	34B	68894	38A
68705	54C	68771	34A	68835	36A	68895	37C
68706	54B	68772	34A	68836	36A	68896	37A
68707	51A	68773	34B	68837	36A	68897	37C
68708	54C	68774	34B	68838	34A	68898	37C
68709	65A	68776	34B	68839	38A	68899	32A
68710	61A	68777	34B	68840	35A	68900	37A
68711	51C	68778	34B	68841	36A	68901	37A
68712	51D	68779	38A	68842	36A	68902	37C
68713	51D	68780	35B	68843	36A	68903	37A
68714	6F	68781	34B	68844	35A	68904	37A
68715	51C	68783	34B	68846	35A	68905	32A
68716	51C	68784	34B	68847	36A	68906	37C
68717	61A					68907	37A

68908	37C	68968	36C	69090	52A	69156	64F
68909	37A	68969	37C	69091	52A	69157	65C
68910	37A	68970	36C	69092	52A	69158	64F
68911	37B	68971	36C	69093	53A	69159	64F
68912	37C	68972	38A	69094	53A	69160	62C
68913	37B	68973	36C	69095	52A	69161	65C
68914	37A	68974	36C	69096	53A	69162	64E
68915	37A	68975	38B	69097	52A	69163	65D
68916	37A	68976	38B	69098	53A	69164	62C
68917	36A	68977	30A	69099	53A	69165	65C
68918	36A	68978	37B	69100	52A	69166	65C
68919	37A	68979	36B	69101	54A	69167	64A
68920	38A	68980	36B	69102	53A	69168	64A
68921	37A	68981	38C	69104	53A	69169	64B
68922	37C	68982	38A	69105	54B	69170	65A
68923	37C	68983	39B	69106	53A	69171	65A
68924	32A	68984	37B	69107	53A	69172	64A
68925	37B	68985	36A	69108	53A	69173	64A
68926	40B	68986	36A	69109	52A	69174	68E
68927	38B	68987	36A	69111	53C	69175	64A
68928	39B	68988	37B	69112	53C	69176	65D
68929	38B	68989	36A	69113	53C	69177	65D
68930	37A	68990	39B	69114	50B	69178	65A
68931	37A	68991	36A	69115	50B	69179	65A
68932	37C			69116	53C	69180	65A
68933	37C	69001	53C	69117	50B	69181	65A
68934	37C	69002	53C	69119	53C	69182	65A
68935	38A	69003	53C	69120	65A	69183	65A
68936	36A	69004	51A	69125	61B	69184	65D
68937	37B	69005	52A	69126	65A	69185	64A
68938	37A	69006	51D	69127	65A	69186	64A
68939	37A	69007	51F	69128	61B	69187	64C
68940	37C	69008	54B	69129	61B	69188	65A
68941	37C	69009	53C	69130	65A	69189	65A
68942	37C	69010	53A	69131	65A	69190	65C
68943	37C	69011	53A	69132	62A	69191	65A
68944	37C	69012	62A	69133	64A	69192	62C
68945	36A	69013	62A	69134	64A	69193	65C
68946	36B	69014	64A	69135	62C	69194	65C
68947	37A	69015	65C	69136	62C	69195	65C
68948	37A	69016	50E	69137	64E	69196	65E
68949	34B	69017	54C	69138	65A	69197	65A
68950	30A	69018	54A	69139	68E	69198	65C
68951	37A	69019	51D	69140	64A	69199	65C
68952	65A	69020	50A	69141	64A	69200	64E
68953	65A	69021	51A	69142	64F	69201	61B
68954	65A	69022	51A	69143	62A	69202	62C
68955	65A	69023	52C	69144	64A	69203	65D
68956	65A	69024	52C	69145	65E	69204	62C
68957	65A	69025	52C	69146	64A	69205	65D
68958	65A	69026	52C	69147	64A	69206	65E
68959	65A	69027	52B	69148	64A	69207	65E
68960	36C	69028	52B	69149	64A	69208	65D
68961	36A	69050	38E	69150	62A	69209	65C
68962	36C	69052	9G	69151	65C	69210	65C
68963	30A	69060	34E	69152	64A	69211	62A
68964	36C	69061	34E	69153	62A	69212	65C
68965	30A	69064	34E	69154	62C	69213	65C
68966	37A	69065	34E	69155	68E	69214	65A
68967	30A	69069	38E			69215	68E

69216	64F	69289	6F	69349	6E	69452	37A
69217	65C	69290	6E	69350	34E	69453	34B
69218	65A	69291	36D	69351	38D	69454	37C
69219	64A	69292	38D	69352	6E	69455	34B
69220	64B	69293	6D	69353	39A	69456	34B
69221	62C	69294	36A	69354	36E	69457	34B
69222	65A	69295	38D	69355	36D	69458	34B
69223	62A	69296	39A	69356	27E	69459	37C
69224	62A	69297	36B	69357	36D	69460	34B
69225	39B	69298	27E	69358	9E	69461	37A
69227	39B	69299	39A	69359	9F	69462	34B
69228	39B	69300	34E	69360	38E	69463	37A
69230	39B	69301	38D	69361	9E	69464	37C
69231	39B	69302	34E	69362	6E	69465	34B
69232	39B	69303	36D	69363	38D	69466	34B
69233	39B	69304	9E	69364	9E	69467	34B
69234	39B	69305	40B	69365	36D	69468	34B
69235	39B	69306	40C	69366	6E	69469	34B
69236	39B	69307	39A	69367	36D	69470	34B
69239	39B	69308	39A	69368	36D	69471	37B
69240	39B	69309	40B	69369	34E	69472	37A
69242	39B	69310	38E	69370	9E	69473	37B
69250	39A	69312	39B	69377	53A	69474	37C
69253	40A	69313	36E	69378	52B	69475	34B
69254	8E	69314	36E	69379	53A	69476	34B
69255	9E	69315	34E	69381	53A	69477	34B
69256	40F	69316	36B	69385	53A	69478	37C
69257	34E	69317	9F	69386	53A	69479	37C
69258	8E	69318	34E	69390	52B	69481	34B
69259	34E	69319	40E	69391	52B	69482	37C
69260	30A	69320	36D	69392	53A	69483	37B
69261	40F	69321	36E	69393	53A	69484	37A
69262	9G	69322	40B	69394	54D	69485	37C
69263	38E	69323	40E	69395	54D	69490	34A
69264	36B	69324	39B	69424	54B	69491	34A
69265	27E	69325	36D	69426	54B	69492	34A
69266	37B	69326	9E	69427	54A	69493	34A
69267	6E	69327	40A	69429	54B	69494	34C
69268	36D	69328	9F	69430	37B	69495	34A
69269	38E	69329	6E	69431	34B	69496	34A
69270	39A	69330	6E	69432	37C	69497	34A
69271	37A	69331	9F	69433	34B	69498	34A
69272	8E	69332	9F	69434	37C	69499	34A
69273	36E	69333	39A	69435	34B	69500	65C
69274	6D	69334	36D	69436	37B	69501	34C
69275	40A	69335	9G	69437	37B	69502	30A
69276	9F	69336	9E	69439	37C	69503	65E
69277	36E	69337	37A	69440	37B	69504	34C
69278	36D	69338	39A	69441	34B	69505	34B
69279	38D	69339	6F	69442	34B	69506	34A
69280	40C	69340	6E	69443	37C	69507	65C
69281	6D	69341	34E	69444	37B	69508	65C
69282	36E	69342	6D	69445	34B	69509	65D
69283	34E	69343	9E	69446	37B	69510	65C
69284	40E	69344	27E	69447	37C	69511	65D
69285	36E	69345	36D	69448	37C	69512	34A
69286	38E	69346	6E	69449	37C	69513	34B
69287	40A	69347	9E	69450	37B	69514	65C
69288	6E	69348	36D	69451	34B	69515	34A

69516	34C	69576	34A	69639	34C	69699	30A
69517	34A	69577	34A	69640	34C	69700	30A
69518	65E	69578	34A	69641	30A	69701	30A
69519	34A	69579	34A	69642	30A	69702	30A
69520	34A	69580	34C	69643	30A	69703	30A
69521	34A	69581	34A	69644	34C	69704	30A
69522	34A	69582	34C	69645	30A	69705	30A
69523	34A	69583	34A	69646	30A	69706	32A
69524	34A	69584	34A	69647	30A	69707	32A
69525	34A	69585	34A	69648	30A	69708	32A
69526	34A	69586	34C	69649	30A	69709	32A
69527	34A	69587	34C	69650	30A	69710	30A
69528	34A	69588	34C	69651	38B	69711	30A
69529	34A	69589	34A	69652	30A	69712	30A
69530	34B	69590	30A	69653	30A	69713	30C
69531	34B	69591	34A	69654	38A	69714	30A
69532	34B	69592	34A	69655	30A	69715	30A
69533	34B	69593	34A	69656	30A	69716	30E
69534	34C	69594	34C	69657	30A	69717	30E
69535	34A	69595	65C	69658	30A	69718	30A
69536	34A	69596	65E	69659	30A	69719	30E
69537	34C	69600	30A	69660	30A	69720	30E
69538	34A	69601	30A	69661	30A	69721	30A
69539	34A	69602	30A	69662	30A	69722	30A
69540	34A	69603	30A	69663	30A	69723	30A
69541	34A	69604	30A	69664	30A	69724	30A
69542	34A	69605	30A	69665	30A	69725	30A
69543	34A	69606	30A	69666	30A	69726	30A
69544	34A	69607	30A	69667	30A	69727	30A
69545	34A	69608	30A	69668	30A	69728	30A
69546	34A	69609	30A	69669	30A	69729	30A
69547	34B	69610	30A	69670	30A	69730	30A
69548	34A	69611	30A	69671	30A	69731	30A
69549	34A	69612	30F	69672	30E	69732	30A
69550	34C	69613	34C	69673	30A	69733	30A
69551	34C	69614	38A	69674	30A	69770	53A
69552	34A	69615	38A	69675	30A	69771	53A
69553	65D	69616	30A	69676	30A	69772	53A
69554	34C	69617	30D	69677	30F	69773	53A
69555	34C	69618	30D	69678	30E	69774	53C
69556	34B	69619	30D	69679	32A	69776	53C
69557	34D	69620	38A	69680	30B	69778	53A
69558	34C	69621	38A	69681	30B	69779	53A
69559	34C	69622	30D	69682	30B	69780	53C
69560	34A	69623	30A	69683	30B	69781	51E
69561	30F	69624	30A	69684	30B	69782	53A
69562	65C	69625	30A	69685	30B	69783	53A
69563	65E	69626	30A	69686	30B	69784	53C
69564	65C	69627	30A	69687	30B	69785	53C
69565	65C	69628	30A	69688	30B	69786	53A
69566	30F	69629	30A	69689	34A	69787	51E
69567	34A	69630	30D	69690	38A	69788	53A
69568	34A	69631	30A	69691	38B	69796	53B
69569	34A	69632	34C	69692	34A	69800	40B
69570	34A	69633	30B	69693	30B	69801	38A
69571	34A	69634	30B	69694	34A	69802	53B
69572	34A	69635	30F	69695	38B	69803	40F
69573	34A	69636	30A	69696	34C	69804	40A
69574	34A	69637	30A	69697	30A	69805	34E
69575	34A	69638	34C	69698	34A	69806	38A

69807	38A	69874	54A	70005*	30A	73028	24E
69808	40F	69875	51F	70006*	32A	73029	24E
69809	38A	69876	51D	70007*	32A		
69810	38A	69877	50B	70008*	32A	75000	84G
69811	53B	69878	51D	70009*	32A	75001	84G
69812	40E	69879	50E	70010*	32A	75002	84G
69813	40A	69880	51D	70011*	32A	75003	84G
69814	34E	69881	50E	70012*	32A	75004	84G
69815	40E	69882	50B	70013*	32A	75005	84G
69816	40F	69883	51E	70014*	73A	75006	84G
69817	38A	69884	51K	70015*	30A	75007	84G
69818	38A	69885	50E	70016*	30A	75008	84G
69819	40F	69886	50E	70017*	81A	75009	84G
69820	40B	69887	54A	70018*	81A	75010	10C
69821	40E	69888	50G	70019*	83D	75011	10C
69822	34E	69889	51K	70020*	81A	75012	10C
69823	38A	69890	50G	70021*	83D	75013	10C
69824	32A	69891	51K	70022*	83A	75014	10C
69825	38A	69892	51K	70023*	81A	75015	27C
69826	32A	69893	51C	70024*	83D	75016	27C
69827	34E	69894	51K			75017	27C
69828	40A	69900	36B	72000*	66A	75018	27C
69829	34E	69901	36B	72001*	66A	75019	27C
69830	51A	69902	36B	72002*	66A		
69831	51K	69903	36B	72003*	66A	80000	
69832	51A	69904	36B	72004*	66A	80001	
69833	51A	69905	36B	72005*	68A	80002	
69834	51K	69910	51B	72006*	68A	80003	
69835	51A	69911	51B	72007*	68A	80004	
69836	53B	69912	53A	72008*	68A	80005	
69837	53B	69913	51B	72009*	68A	80006	
69838	51A	69914	53A			80007	
69839	51A	69915	51B	73000	17A	80008	
69840	51A	69916	51B	73001	17A	80009	
69841	51A	69917	51B	73002	17A	80010	75F
69842	51A	69918	51E	73003	15C	80011	75F
69850	54A	69919	53A	73004	15C	80012	75F
69851	51F	69920	54B	73005	63A	80013	75F
69852	51E	69921	51B	73006	63A	80014	75F
69853	54A	69922	53A	73007	63A	80015	75F
69854	51D	69925	65A	73008	63A	80016	75G
69855	51K	69926	36C	73009	63A	80017	75G
69856	51F	69927	65A	73010	20A	80018	75G
69857	54A	69928	40E	73011	20A	80019	75G
69858	50G	69929	40E	73012	20A	80020	61A
69859	51D	69930	36C	73013	19B	80021	61A
69860	50G	69931	50C	73014	19B	80022	66A
69861	50G	69932	50C	73015	19B	80023	66A
69862	51E	69933	50C	73016	19B	80024	67A
69863	54A	69934	36C	73017	16A	80025	67A
69864	50G	69935	36C	73018	16A	80026	66A
69865	50G	69936	36C	73019	16A	80027	66A
69866	51D	69937	36C	73020	6A	80028	61A
69867	50E	69999	36B	73021	6A	80029	61A
69868	51F			73022	6A	80030	67A
69869	51K	70000*	30A	73023	10C	80031	75A
69870	51F	70001*	30A	73024	10C	80032	75A
69871	51C	70002*	30A	73025	24E	80033	75A
69872	51F	70003*	30A	73026	24E	80034	1C
69873	51D	70004*	73A	73027	24E	80035	1C

80036	1C	90020	61B	90080	38E	90140	26G
80037	1C	90021	53A	90081	51B	90141	25A
80038	1C	90022	53A	90082	53C	90142	25A
80039	1E	90023	31B	90083	31B	90143	24B
80040	1E	90024	31B	90084	38A	90144	36B
80041	1E	90025	40B	90085	31B	90145	31B
80042		90026	54B	90086	51E	90146	36B
80043		90027	51B	90087	31B	90147	38A
80044		90028	35A	90088	35A	90148	83D
80045		90029	31B	90089	51G	90149	86A
80046		90030	53A	90090	51B	90150	36B
80047		90031	36C	90091	51B	90151	35A
80048		90032	36C	90092	51E	90152	81C
80049		90033	38E	90093	35A	90153	36B
80050		90034	35A	90094	53C	90154	38A
80051		90035	31B	90095	38E	90155	51E
80052		90036	38A	90096	35A	90156	35A
80053		90037	31B	90097	61B	90157	38A
		90038	64A	90098	51B	90158	35A
82000	84E	90039	38E	90099	53A	90159	24B
82001	84E	90040	38E	90100	50A	90160	53A
82002	84E	90041	61B	90101	25A	90161	86K
82003	84E	90042	31B	90102	26B	90162	35A
82004	84E	90043	38A	90103	38A	90163	26G
82005	84E	90044	51B	90104	31B	90164	25A
82006	84E	90045	51B	90105	26A	90165	35A
82007	84E	90046	38E	90106	35A	90166	36B
82008	84E	90047	53A	90107	25D	90167	86G
82009	84E	90048	51E	90108	68A	90168	62A
82010		90049	64A	90109	24B	90169	35A
82011		90050	38A	90110	84G	90170	62A
82012		90051	38A	90111	36C	90171	24B
82013		90052	38A	90112	24A	90172	51E
82014		90053	31B	90113	26A	90173	26A
82015		90054	51B	90114	65D	90174	86A
82016		90055	31B	90115	38D	90175	31B
82017		90056	50A	90116	53C	90176	82B
82018		90057	53A	90117	62C	90177	62A
82019		90058	62A	90118	36B	90178	38A
		90059	36C	90119	36B	90179	86E
90000	38A	90060	31B	90120	36B	90180	35A
90001	38A	90061	53A	90121	27B	90181	25E
90002	38A	90062	35A	90122	26G	90182	62A
90003	31B	90063	35C	90123	26D	90183	24B
90004	62A	90064	31B	90124	25D	90184	51E
90005	31B	90065	38E	90125	86A	90185	38A
90006	53A	90066	31B	90126	26G	90186	26B
90007	38A	90067	51E	90127	25A	90187	38A
90008	53A	90068	51B	90128	62A	90188	86C
90009	53A	90069	84B	90129	38A	90189	36B
90010	84D	90070	36C	90130	36B	90190	36B
90011	53C	90071	66B	90131	31B	90191	35A
90012	51E	90072	53A	90132	51B	90192	84C
90013	36C	90073	38A	90133	36C	90193	65D
90014	51B	90074	51B	90134	66A	90194	26D
90015	31B	90075	31B	90135	24D	90195	36B
90016	51B	90076	51B	90136	38A	90196	36B
90017	62C	90077	62B	90137	38E	90197	26G
90018	31B	90078	53A	90138	24B	90198	62B
90019	62A	90079	35A	90139	38A	90199	62C

90200	50A	90260	25A	90320	24C	90380	25A
90201	86E	90261	86A	90321	25D	90381	25A
90202	38A	90262	25C	90322	25G	90382	53A
90203	31B	90263	38E	90323	86A	90383	36A
90204	26G	90264	24B	90324	26B	90384	31B
90205	26C	90265	25A	90325	25G	90385	25A
90206	26C	90266	24D	90326	25D	90386	66B
90207	81C	90267	27B	90327	26A	90387	24B
90208	35A	90268	81C	90328	24C	90388	26A
90209	36B	90269	38D	90329	25A	90389	26A
90210	53A	90270	36A	90330	38A	90390	26A
90211	36B	90271	26C	90331	24C	90391	38A
90212	38A	90272	53A	90332	25B	90392	31B
90213	25C	90273	51B	90333	25A	90393	31B
90214	84K	90274	24B	90334	25A	90394	38D
90215	38A	90275	31B	90335	24C	90395	25G
90216	27B	90276	38D	90336	25G	90396	25A
90217	53C	90277	25A	90337	25A	90397	25A
90218	38E	90278	27B	90338	26A	90398	24C
90219	26A	90279	35A	90339	25A	90399	24A
90220	36A	90280	31B	90340	36B	90400	36B
90221	31B	90281	25C	90341	25A	90401	36B
90222	26A	90282	27B	90342	25A	90402	26C
90223	40A	90283	24B	90343	26C	90403	38D
90224	31B	90284	84B	90344	51E	90404	25A
90225	86A	90285	40B	90345	25B	90405	51E
90226	26A	90286	36B	90346	38A	90406	25A
90227	24B	90287	38A	90347	25B	90407	25G
90228	25C	90288	35A	90348	24A	90408	26D
90229	36B	90289	26A	90349	35A	90409	53A
90230	51B	90290	36A	90350	62A	90410	36B
90231	24B	90291	26A	90351	25G	90411	38A
90232	36B	90292	25A	90352	53A	90412	25A
90233	53C	90293	31B	90353	25A	90413	26D
90234	25A	90294	31B	90354	25E	90414	25A
90235	38A	90295	24C	90355	86E	90415	25A
90236	25A	90296	31B	90356	82B	90416	26C
90237	25A	90297	26C	90357	25A	90417	25A
90238	86C	90298	31B	90358	38A	90418	38D
90239	35A	90299	38D	90359	26B	90419	26D
90240	51E	90300	25C	90360	26A	90420	24B
90241	24B	90301	36A	90361	25A	90421	36B
90242	38A	90302	31B	90362	25A	90422	36C
90243	25A	90303	38A	90363	25A	90423	38A
90244	35A	90304	31B	90364	26D	90424	50A
90245	26A	90305	36A	90365	38E	90425	86C
90246	35A	90306	26B	90366	26A	90426	51B
90247	25A	90307	26B	90367	24C	90427	53C
90248	26A	90308	25E	90368	38A	90428	35A
90249	25A	90309	54B	90369	38E	90429	53C
90250	36B	90310	25A	90370	25A	90430	53A
90251	82B	90311	36B	90371	24B	90431	31B
90252	36B	90312	84C	90372	25G	90432	38A
90253	35A	90313	84C	90373	51B	90433	31B
90254	26B	90314	24B	90374	24D	90434	51B
90255	36B	90315	87A	90375	25D	90435	53A
90256	35A	90316	25G	90376	26A	90436	64A
90257	25D	90317	6B	90377	51E	90437	38A
90258	24C	90318	25G	90378	53A	90438	35A
90259	35A	90319	67C	90379	25A	90439	6B

90440	65D	90500	51B	90560	62C	90620	25A
90441	62A	90501	35C	90561	26A	90621	25E
90442	31B	90502	35A	90562	25D	90622	25D
90443	31B	90503	51B	90563	86G	90623	53C
90444	62B	90504	38E	90564	26B	90624	25A
90445	54B	90505	67C	90565	86C	90625	51B
90446	51B	90506	31B	90566	6B	90626	26D
90447	35C	90507	38E	90567	38A	90627	53A
90448	38E	90508	31B	90568	26A	90628	66B
90449	6B	90509	38E	90569	31B	90629	38A
90450	53A	90510	31B	90570	27B	90630	86C
90451	51B	90511	50A	90571	53C	90631	25A
90452	51B	90512	35A	90572	84C	90632	26B
90453	31B	90513	62C	90573	86E	90633	25A
90454	35A	90514	35A	90574	38E	90634	38A
90455	61B	90515	62B	90575	62C	90635	25A
90456	36C	90516	38E	90576	24B	90636	38A
90457	51B	90517	51B	90577	35A	90637	25A
90458	53A	90518	50A	90578	25D	90638	38E
90459	51B	90519	31B	90579	84C	90639	25A
90460	38D	90520	38E	90580	31B	90640	24C
90461	51B	90521	36B	90581	25A	90641	26A
90462	62B	90522	31B	90582	36A	90642	25D
90463	62B	90523	26A	90583	40B	90643	25A
90464	68A	90524	85B	90584	24B	90644	25A
90465	51B	90525	26A	90585	86A	90645	25G
90466	84K	90526	38D	90586	53C	90646	36C
90467	53C	90527	25B	90587	36B	90647	36C
90468	66C	90528	35A	90588	25G	90648	38E
90469	64A	90529	81F	90589	36B	90649	25G
90470	53C	90530	26A	90590	36B	90650	25B
90471	31B	90531	25C	90591	25G	90651	25A
90472	62A	90532	38D	90592	24B	90652	25A
90473	31B	90533	26A	90593	25D	90653	36B
90474	31B	90534	62A	90594	40B	90654	25A
90475	51B	90535	26A	90595	24C	90655	25B
90476	31B	90536	66A	90596	36B	90656	25A
90477	31B	90537	36A	90597	36B	90657	35A
90478	53C	90538	36A	90598	36B	90658	24C
90479	51B	90539	62A	90599	24B	90659	35A
90480	31B	90540	36C	90600	62B	90660	31B
90481	51B	90541	24C	90601	31B	90661	53C
90482	53A	90542	62C	90602	31B	90662	38A
90483	84D	90543	25D	90603	51E	90663	53C
90484	38E	90544	86A	90604	25A	90664	25G
90485	84C	90545	64A	90605	51B	90665	35A
90486	38E	90546	26B	90606	38A	90666	25G
90487	51B	90547	62A	90607	25A	90667	25A
90488	51B	90548	26A	90608	31B	90668	31B
90489	62A	90549	65D	90609	53A	90669	26A
90490	36C	90550	31B	90610	26B	90670	50A
90491	38A	90551	35A	90611	24A	90671	27B
90492	40B	90552	26G	90612	36B	90672	38E
90493	65D	90553	62C	90613	35A	90673	25A
90494	35A	90554	35A	90614	62A	90674	38A
90495	36B	90555	26D	90615	25A	90675	26A
90496	64A	90556	25A	90616	66A	90676	86A
90497	53C	90557	24B	90617	25A	90677	53C
90498	62A	90558	26A	90618	38A	90678	25D
90499	38A	90559	35A	90619	25B	90679	25A

90680	25B	90700	36B	90720	24C	90757	65F
90681	24C	90701	86C	90721	25D	90758	66B
90682	25A	90702	6B	90722	25A	90759	65F
90683	35A	90703	38A	90723	25D	90760	66B
90684	25G	90704	53A	90724	25A	90761	66B
90685	86A	90705	62C	90725	25A	90762	66B
90686	84K	90706	26A	90726	25G	90763	36A
90687	27B	90707	25E	90727	62B	90764	66B
90688	53C	90708	26A	90728	25G	90765	65F
90689	24C	90709	35A	90729	25A	90766	66B
90690	62A	90710	25A	90730	35A	90767	66A
90691	85B	90711	25G	90731	25D	90768	64D
90692	25A	90712	26C	90732	31B	90769	68A
90693	82B	90713	26B	90750	66B	90770	66B
90694	25B	90714	36C	90751	66A	90771	66B
90695	53A	90715	26A	90752	66B	90772	66B
90696	36A	90716	86E	90753	64D	90773	68A
90697	38E	90717	38A	90754	66B	90774	68A
90698	25G	90718	26D	90755	65F		
90699	25G	90719	25A	90756	66B		

First published 1952
Reprinted 2002

ISBN 0 7110 2875 3

Published by Ian Allan Publishing

an imprint of Ian Allan Publishing Ltd, Hersham, Surrey, KT12 4RG.

Printed by Ian Allan Printing Ltd, Hersham, Surrey, KT12 4RG.

Code: 0201/A2